FRANC-
parler

A third level BBC Radio course to improve your spoken French

Course writer
Brian Page
University of Leeds

Language consultant
Corinne Baudelot
Birkbeck College

Production assistant
Carol Stanley

Producer
Mick Webb

BBC BOOKS

A BBC Radio course to improve your spoken
French to follow *À vous la France!* and *France Extra!*
First broadcast from January 1987

The course consists of
10 radio programmes
One course book covering the 10 programmes
A set of 2 cassettes

Published to accompany a series of programmes in consultation with
the BBC Continuing Education Advisory Council

Published by BBC Publications
a division of BBC Enterprises Limited,
Woodlands, 80 Wood Lane, London W12 0TT
First published 1986
Reprinted 1989 (twice), 1990
© The author and BBC Enterprises Ltd
ISBN 0 563 21197 0

Typeset in 10/11 Univers Light.
Printed and bound in England by Butler & Tanner Ltd,
Frome, Somerset

Contents

Introduction

The course

Franc-parler is for people who already know some French, and who want to improve their knowledge of the language, particularly their ability to speak it. *Franc-parler* is the third and final part of the BBC course which started with *À vous la France!* and continued with *France Extra!*.

Franc-parler is made up of:-

This book
A set of 2 cassettes
A series of 10 radio programmes

In the book

10 chapters, each one containing texts of conversations and interviews on a topic of everyday interest, with short questions so you can check you've understood the texts.

Explanations of grammar, *Le pourquoi et le comment,* and language, *Des mots et des choses.* There's also a short list of *Expressions à retenir,* phrases to learn, in each chapter.

Exercises to test your vocabulary, grasp of grammar, listening and reading comprehension.

A reference section at the back of the book with a grammar supplement, a key to the exercises and a French–English vocabulary.

On the cassettes

The interviews and conversations recorded in Provence, Rouen and Lille.

Exercises for listening comprehension and practice in speaking and pronunciation.

On the radio

10 programmes, first broadcast from January 1987, which introduce the recordings, give advice on learning and practising, and provide information about France.

Using the course

Learning is a very individual business – everyone learns in a different way and so it's up to you to work out what is most

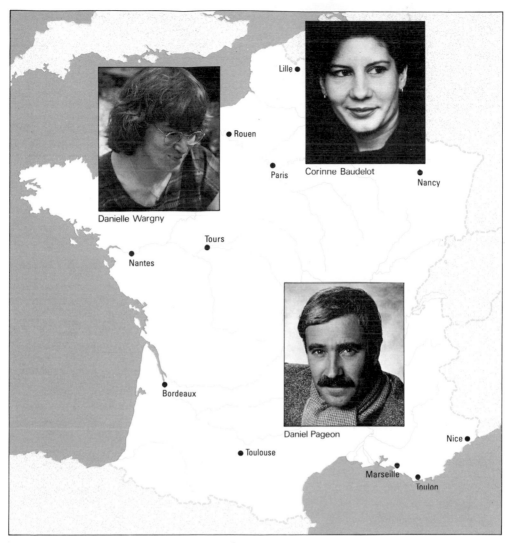

Lille ●

● Rouen

● Paris Corinne Baudelot

Nancy ●

Danielle Wargny

Tours ●

● Nantes

● Bordeaux

Daniel Pageon

Nice ●

● Toulouse

Marseille ●
Toulon ●

Nos intervieweurs en France

effective in your case. Some general suggestions may help
though:

1 Try to prepare for the radio programmes by going through the
explanations in the book first. Don't try the exercises until
after the broadcasts. You can also read through the dialogues
if you like to see things in print before you hear them.

2 Don't try to learn in big chunks with long intervals in between.
It's better to do a little every day than a couple of hours once
a week.

3 Most people learn best by reading the material or listening to
it over and over again and trying to recall it later. You can do
this at any odd moment during the day – when you're on the
bus going to work, doing the washing up or taking the dog

for a walk. Try to remember what was in the dialogues and talk yourself through them as far as you can.

4   Leave the exercises until you're quite satisfied that you've done all you can on the rest. The aim is that by the time you come to do the exercises they should be reasonably easy for you.

5   When working through the course, make sure you give sufficient attention to the words and expressions that hold the conversations together and give them coherence. Don't be satisfied with learning separate sentences and isolated remarks.

6   Languages are best learned in company with other people. If you can join a class, or even just practise with a friend, you'll find you make much better progress – and it's more enjoyable too.

The interview texts

Ordinary spoken French contains features which do not normally appear in written French. Broadly speaking, when people write they are much more likely to observe the formal rules of grammar than when they speak.

In setting out the texts of the conversations we have tried to preserve the flavour of *spoken* French, so, for example, we have omitted **ne** where the speaker omits it: **le lac qui est pas très loin d'ici**; and shown repetitions and self-corrections: **qu'est-ce que ... qu'est-ce que vous allez faire?**; **les activités sont ... vont du musée à la mer.** You'll also see that the speakers don't always elide **que** with a following word that begins with a vowel, eg **ils étaient tellement stricts que on avait beaucoup de problèmes.**

1 VACANCES

What's going to happen and what you will do, using the present tense, the future tense, or aller + **an infinitive**

Giving further details about something or someone, using qui, que, lequel, où

Avoiding unnecessary repetition by using y **and** en

Projets de vacances

1 Située au bord du Verdon, la petite ville provençale de Gréoux-les-Bains est aussi une station thermale. Les gens viennent de toutes les régions de France pour y faire une cure ou tout simplement pour y passer leurs vacances. Dans un village de vacances qui se trouve un peu en dehors de la ville, Daniel a fait la connaissance de Madame Poulin, une institutrice qui habite Poitiers pendant l'année scolaire.

Daniel   Alors, il y a plein d'activités dans le village de vacances, mais il y a aussi beaucoup de choses à faire dans la région là. Qu'est-ce que ... qu'est-ce que vous allez faire?

Mme Poulin   Eh bien, dans le village de vacances, je me suis inscrite pour ce soir au tennis; et puis demain, je pense que nous allons faire du tir à l'arc.

Daniel   Ah très bien. Vous en avez déjà fait?

Mme Poulin   Non, jamais. Alors on va essayer, pourquoi pas?

Daniel   Est-ce que vous irez, par exemple, visiter les gorges du Verdon, là, dans les semaines à venir?

Le lac d'Esparron

Mme Poulin	Je pense que nous y retournerons, nous y sommes déjà allés, et nous irons certainement encore une fois. Autrement, comme activités, nous irons sans doute à la piscine. Tous les jours sont faits de la même chose, c'est sûr, quand on fait une cure thermale, le lendemain est toujours semblable à la veille.
Daniel	Mais, par exemple, il y a un lac qui est pas très loin. Vous envisagez d'y aller?
Mme Poulin	Le lac d'Esparron . . . Peut-être.
Daniel	Est-ce que vous allez essayer la planche à voile?
Mme Poulin	Ah non.
Daniel	Non? *(Non)* Ça vous tente pas du tout?
Mme Poulin	Non, non, pas du tout. Peut-être mon mari en fera, mais moi non.
Daniel	Et vos enfants? Ils sont peut-être un peu petits encore. Ils ont quel âge?
Mme Poulin	Elles sont trop petites, oui, elles ont dix ans et cinq ans *(c'est un peu petit)*, c'est trop petit –
Daniel	Un peu petit, oui. Et dans votre région qu'est-ce que vous faites, lorsque vous rentrez, là, pendant le reste *(des vacances?)* de l'été, des vacances?
Mme Poulin	Euh, je ne sais pas.
Daniel	Vous n'avez encore rien de prévu?
Mme Poulin	Pas de projets encore.
Daniel	Pas de projets encore?

Gréoux-les-Bains

Mme Poulin	Non.
Daniel	Vous allez partir à la découverte peut-être?
Mme Poulin	Peut-être. Je pense aller quelques jours sur la côte atlantique, chez des amis que je rejoindrai là-bas. Et puis non, j'ai des travaux à faire dans ma maison.
Daniel	Et quand est-ce que vous allez reprendre le travail, là, puisque vous êtes en cure pendant trois semaines, puis après vous allez encore partir en vacances ou être en vacances. Quand allez-vous reprendre le travail?
Mme Poulin	Je reprends le travail au début septembre. Je suis institutrice en maternelle, et les cours reprendront le ... je sais plus, le 8 ou 9 septembre. On connaît bien la date de sortie mais jamais la date de rentrée!
Daniel	Alors, bonnes vacances!
Mme Poulin	Merci!

plein de	= beaucoup de
je me suis inscrite	*I've put my name down*
en maternelle	= dans une école maternelle

The following questions are to help you check you've understood the interview. Answers, where appropriate, can be found in the Key, p 165.

* Quand on passe ses vacances à Gréoux, on peut faire du
  .... au village de vacances, et de la ....
  sur le lac d'Esparron.

* Le lendemain et la veille – qu'est-ce que c'est en anglais?

* Qu'est-ce qui se passe à la rentrée?

2 En été, lorsque les vacanciers et les touristes envahissent la Provence, les Provençaux, eux, quittent la région pour aller prendre leurs vacances ailleurs. On les comprend! Voici donc les projets de la famille Cambon qui se prépare à partir dans son vieux camping-car, son 'fourgon-camping'.

Daniel	Bon alors, les vacances cette année, ça s'annonce comment?
Mme Cambon	Nous allons partir ... sans doute dans le courant de la semaine, Maurice?
Dr Cambon	Oui, nous partons le 19, c'est-à-dire jeudi soir. Il nous faudra deux jours pour rejoindre le sud de l'Espagne donc, et il nous faudra impérativement être là le 31. Il y aura quatre jours de trajet, deux pour aller, deux pour revenir, et il ne nous restera plus grand-chose.
Daniel	Et vous allez dans quel coin du sud de l'Espagne?
Dr Cambon	Nous allons visiter trois villes: Cordoue, Grenade et –
Mme Cambon	Séville –

Dr Cambon	Et Séville.
Daniel	Et en plus, vous voyagez avec un fourgon dans lequel vous pouvez dormir, non? C'est pas mal ça.
Dr Cambon	Alors nous avons un 'fourgon-camping' où nous rentrons péniblement à quatre, mais nous y arrivons tout de même. Ce fourgon, nous l'avons depuis plusieurs années. Malheureusement, il ne fonctionne pas assez souvent. Il est prêt, certainement, grâce au garagiste.
Daniel	Mais vous avez mis tout votre équipement dedans: les sacs de couchage, les casseroles, tout ça?
Dr Cambon	Alors, c'est ça, il y a une partie cuisine, comme dans tout 'fourgon-camping', avec casseroles, poêle, et cetera; il y a la partie literie, où nous pouvons loger à quatre justement; et ensuite toute la partie penderie, où nous pouvons loger nos vêtements.
Daniel	Est-ce que c'est un fourgon grand luxe avec douche, WC, ou comment est-ce que ça se passe?
Mme Cambon	Non, non, parce que nous utilisons les terrains de camping, et nous préférons aller nous baigner soit au bord de la mer, soit dans les piscines. Alors, notre fourgon nous permet surtout de ne pas avoir de soucis de réservations d'hôtel, de nous arrêter lorsque nous en avons envie et de faire un voyage beaucoup plus fantaisiste.

les vacances, ça s'annonce comment?	*going anywhere nice for your holidays?*
il faudra impérativement être là	là *really means* ici (ie *in Gréoux*)
il ne nous restera plus grand-chose	*there won't be anything much left*

où nous rentrons péniblement à quatre	*that the four of us have a bit of difficulty getting into*
soit ... soit	*either ... or*

❋ Dans la partie cuisine, on .... et dans les autres parties, on ....

❋ Quels sont, d'après Mme Cambon, les avantages du fourgon?

❋ Un voyage fantaisiste, à votre avis, qu'est-ce que c'est?

La famille Cambon

3   Pendant les grandes vacances, les parents sont très heureux d'avoir des centres aérés à leur disposition, surtout s'ils travaillent et qu'ils ne peuvent s'occuper de leurs enfants dans la journée. À Rouen, le centre aéré de Bois-Guillaume accueille environ 150 enfants parmi lesquels se trouve Anaïs, la petite fille de Danielle Wargny. Danielle en a donc profité pour parler avec la directrice du centre.

Danielle   Quelles activités vous proposez aux enfants?

Directrice   Donc, chacun choisit la façon dont il veut faire fonctionner son centre. Ici, moi, le .. l'option que j'ai choisie, déjà depuis pas mal d'années, c'est les sorties, parce que je considère qu'on s'adresse à un public d'enfants qui sont 'enfermés', entre guillemets, toute l'année dans des écoles ou à la maison et qui n'ont pas toujours l'occasion de .. d'aller voir ailleurs ce qui se passe, d'aller se promener un petit peu. Donc, tout est basé sur les sorties, et les activités proposées à l'extérieur sont ... vont du musée à la mer, en y allant par le train, sur des bases de plein air, dans des self-services, dans des piscines, même particulièrement une piscine spécialisée où on a tout un tas de petits toboggans, des choses comme ça, le jardin public, les jardins ... tout ce qui entoure, la forêt; et puis un camping, une fois par semaine, qui représente une animation particulière où les animateurs restent avec les enfants et proposent une activité un petit peu spéciale – comme hier, c'était un feu d'artifice – ce qui est relativement exceptionnel pour des petits de cet âge-là parce que c'est .. c'est assez peu fait, et ça leur plaît énormément.

Danielle   Justement, hier soir, c'était la 'nuit-camping' *(c'est ça)*. Est-ce que ça pose des problèmes, est-ce qu'il y a des enfants qui réclament leurs parents ou qui ont du mal à aller se coucher?

Directrice   Pas du tout.

Anaïs et un de ses copains

Danielle   Moi je peux dire comme ... Mon point de vue de parent, c'est que ça m'a permis de passer une bonne soirée au restaurant.

Directrice   C'est toujours ça, au moins!

on s'adresse à un public d'enfants	*we're dealing with children*
entre guillemets	*in inverted commas*
base de plein air	*open-air activity centre*
qui représente une animation particulière	*which is a special sort of event*

❋   Pourquoi est-ce que la directrice propose des sorties aux enfants?

❋   Qu'est-ce qu'on fait au juste dans un self-service?

❋   Pourquoi Danielle apprécie-t-elle la 'nuit-camping'?

4   Pendant que les Français se doraient sur les bords du lac d'Esparron ou en Espagne, Danielle devait travailler, elle. Mais, en été, contacter les gens peut poser des problèmes, comme vous allez le constater dans cette conversation téléphonique au cours de laquelle elle essaie de prendre rendez-vous avec le directeur d'un supermarché.

Danielle   Oui, bonjour monsieur. Est-ce que je pourrais parler au directeur de Super-M, s'il vous plaît?

D'accord, merci. *(À Mick, le réalisateur de **Franc-Parler**)* La secrétaire.

Allô, bonjour. Je vous explique pourquoi je vous téléphone. Je fais partie d'une équipe de la BBC Radio qui fait des programmes de langue, donc qui fait des enregistrements en France. Et on se demandait si c'était possible de venir au supermarché, de . . peut-être de . . d'avoir une petite interview avec le directeur ou avec des employés . . .

Ah, bon. Donc, ce serait pas avec lui.

Il est . . il est remplacé par personne, votre directeur en vacances?

Oui. . . . Oui.

Euh, oui, cette semaine. On pensait jeudi ou vendredi.

Oui. . . . Oui.

D'accord, d'accord.

Très bien, tout à fait.

Oui, alors je m'appelle Mme Wargny, W–A–R–G–N–Y.

Et le téléphone, c'est 88-51-25.

Merci beaucoup, au revoir. Au revoir. *(Elle raccroche)*

Charmante.

Mick	Qu'est-ce qu'elle a dit?
Danielle	Elle va rappeler. Le directeur est en vacances, bien entendu, mais il y a quelqu'un à qui on pourra parler quand même.
Mick	Excellent! Bon.

la secrétaire	= on va me passer la secrétaire
elle va rappeler	*she's going to call back*

* Est-ce que vous savez épeler en français votre nom?

* Et donner votre numéro de téléphone?

LE POURQUOI ET LE COMMENT

Talking about what you're going to do
This is done in much the same way in French and English

1 You can use a present tense if you specify a time as well

je pars demain	*I'm leaving tomorrow*
nous allons à Gréoux jeudi	*we're going to Gréoux on Thursday*

2 You can use **aller** *(to go)* with an infinitive

on va essayer	*we're going to try*

3 Or there is the future tense

nous y retournerons	*we'll go back there*
ce sera intéressant	*it will be interesting*

4   If you're not sure about your plans, you can say

j'irai peut-être
je pense aller   à Marseille
j'envisage d'aller

It's easy to form the future tense of most verbs, eg **partir** – **je partirai**, **retourner** – **je retournerai**. On p 156 you'll find detailed examples and a list of common verbs that don't follow the regular pattern, eg **aller** – **j'irai**, **faire** – **je ferai**, **pouvoir** – **je pourrai**.

Note: after **quand** or **lorsque**, you use a future tense to refer to something happening in the future. In English we use the present tense

quand *nous arriverons* en   *when* we arrive *in Spain, we*
    Espagne, nous visiterons   *will visit Seville*
    Séville

So when Daniel asks Mme Poulin (p 8) *Qu'est-ce que vous faites lorsque vous rentrez?*, he's not asking what she will do but what she usually does.

To give more details using *qui, que,* etc

1   **Qui** is the subject of the following verb and can mean *who* when referring to people or *which/that* when referring to things

une institutrice **qui** habite Poitiers
il y a un lac **qui** est pas très loin

2   **Que** is the object of the following verb and also refers to either people or things

chez des amis **que** je rejoindrai là-bas
l'option **que** j'ai choisie

NB: **que** becomes **qu'** when the following word begins with a vowel

la partie du fourgon *qu'on* utilise pour dormir

3   You can't leave out this sort of subject in English although you can, and usually do, omit the object

George is the bloke who *sells parrots beside the Seine*
the parrot (that/which) *he sold me has died*

In French you mustn't leave out either **qui** or **que**

Georges est le type *qui* vend des perroquets sur les quais de la
    Seine
le perroquet *qu'*il m'a vendu est mort

4   After prepositions
When referring to a person, use **qui** after a preposition (**à, avec, pour**, etc)

il y a quelqu'un *à qui* on pourra parler
la femme *avec qui* je sortais …

15

But with things, you have to use **lequel, laquelle, lesquels** or **lesquelles**

vous avez un fourgon *dans lequel* vous pouvez dormir
le société *pour laquelle* je travaille ...

Notice that in both cases the word order in French is similar to formal, old-fashioned English: the person *to whom* I was talking; the van *in which* we were travelling.

5 Often **où** is used instead of the **lequel** system because it's more economical:

une partie penderie *où* nous mettons nos vêtements

means the same as, and is easier to say than

une partie penderie *dans laquelle* nous mettons nos vêtements

6 **Ce qui** and **ce que** do not refer to a particular noun, and are the equivalents of *which* and *what* in sentences like

we're going to see what *is going on*
we're going out to a restaurant which *will make a nice change*
(ie not the restaurant itself, but the whole idea of going out)

Ce qui is the subject and **ce que** the object of the following verb

nous allons voir *ce qui* se passe	*we're going to see what is going on*
ils font un camping, *ce qui* est un peu exceptionnel	*they go camping, which is rather unusual*
ce que j'aime faire le dimanche, c'est prendre mon petit déjeuner au lit	*what I like doing on Sundays is having breakast in bed*

This phrase can be expanded to **tout ce qui** or **tout ce que**

tout ce qui brille n'est pas or
tout ce qu' il fait m'irrite
tout ce que vous dites est très intéressant mais ...

Two little words: *y* and *en*

1 **Y** saves you from having to repeat things. It can replace a phrase that refers to place or position and that starts with a preposition. **Y** is often the equivalent of *there*, as in the following example in which **y** replaces the phrase **au lac**

le lac n'est pas très loin; vous envisagez d'y aller?	*the lake's not far away; are you thinking of going there?*

Note that in English the verb *go* is enough on its own, but similar statements in French are not complete until **y** is added

bon! j'y vais	*right! I'm going*
allons-y!	*let's go!*

Sometimes **y** means *in it, on it, under it*, etc

nous y mettons tout notre équipement (y = dans le camping-car)	*we put all our equipment in it*

In some set phrases **y** no longer has any obvious meaning

| il y a | *there is/are* |
| ça y est | *that's it* |

2 **En** replaces a phrase beginning with **de** (and **du, de la, d', des**)

| nous allons faire du tir à l'arc – vous en avez déjà fait? (en = du tir à l'arc) | *we're going to do some archery – have you done any before?* |
| nous nous arrêtons lorsque nous en avons envie (en = de nous arrêter) | *we stop when we feel like it* |

En is compulsory when the object of a verb is a number or expression of quantity

| il a acheté trois kilos de pommes; moi j'*en* ai acheté *quatre* | *he bought three kilos of apples; I bought four (of them)* |
| il n'a jamais vu de films français; moi j'*en* ai vu *beaucoup* | *he's never seen any French films; I've seen lots (of them)* |

Reflexive verbs

These exist in English as well as in French, and they show that in some way the action is being done to oneself

| *I've cut* myself | je *me* suis coupé(e) |

They always have a pronoun object with them that changes according to the subject of the verb

| *we locked* ourselves *in* | nous *nous* sommes enfermé(e)s |

More verbs are reflexive in French than in English. Among those used in this chapter are **se baigner, s'arrêter, se coucher, s'inscrire**

nous préférons nous baigner à la mer	*we prefer to bathe in the sea*
ça nous permet de nous arrêter où nous voulons	*that allows us to stop where we like*
est-ce que les enfants ont du mal à aller se coucher?	*do the children have any trouble when it comes to going to bed?*
je me suis inscrite au tennis	*I've put my name down for the tennis*

DES MOTS ET DES CHOSES

venez voir

In English we use *and* where French does not

| venez voir | *come and see* |
| nous préférons aller nous baigner dans la mer | *we prefer to go and swim in the sea* |

visiter

is usually used only of places: **on va visiter les gorges du Verdon**. If you're going to visit your grandmother then you can use the phrase **rendre visite à**, but **aller voir** is often enough.

retourner

is not quite the same as *to return*. **Retourner** is only *to go back*; *to come back* is **revenir**.

encore

does not always mean *again*. In French it can mean *still, yet*

ils sont encore au lit	*they're still in bed*
le Beaujolais nouveau n'est pas encore arrivé	*the new Beaujolais hasn't arrived yet*

Or it can mean *even*

encore plus vieux   *even older*

The phrase **encore une fois** means *again* or *once again*: **nous irons encore une fois au lac**.

réclamer

usually means *to demand*: **les ouvriers de chez Renault réclament une augmentation de cinq pour cent. Une réclame**, on the other hand, means *an advertisement*, and the notice **En Réclame** in a shop means that the article is a cheap offer.

toboggan

This is a North American Indian word meaning *sledge* and it came into French through the occupation of Canada. Later the idea of *sliding* became uppermost, and the word is used for a children's slide in a playground or, as in this chapter, a water-chute in a swimming pool. More recently it has also come to mean *flyover*, presumably because of the shape.

Expressions à retenir

tous les jours
pas grand-chose
c'est pas mal ça
ça me plaît
j'ai du mal à ...
je me demandais si ...
passer une bonne soirée
une fois par semaine

EXERCICES

1   You're showing someone your holiday photographs. Describe
each one in detail using **qui, que, lequel, où** as appropriate.

1   Ça, c'est l'hôtel ...... nous avons passé la première nuit.
2   Voilà le camping-car avec ...... on a fait toute l'Europe.
3   Et là, c'est ma femme ...... fait de la planche à voile.
4   Ça, c'était un très joli terrain de camping ...... nous avons
trouvé tout à fait par hasard.
5   Ça, c'est le genou de Claire ...... a bougé au dernier moment.

2   You're being quizzed about yourself, your family and your holiday
plans. Here are simple answers in French – expand them by using
qui, que, où or part of the **lequel** system.

1   J'ai un frère .... (*he lives in Bristol*)
2   J'ai aussi une sœur .... (*we don't see her often*)

3 On habite à Sheffield. C'est une ville intéressante ....
(*there's lots of things to do*)
4 On va faire une petite excursion demain. On prend le train
.... (*it leaves Marseille at 9.15 am*)
5 Il y a une forêt .... (*it's not far away*)
6 Et puis il y a un lac .... (*you can do windsurfing there*)
7 Il y a aussi des pédalos .... (*you can go round the lake in them*)
8 Ce soir, nous irons dîner dans un restaurant .... (*we noticed it yesterday in town*)

3 Here are the definitions of ten words or phrases used in the conversation with M and Mme Cambon. What are they?

1 sept jours
2 entre l'après-midi et la nuit
3 une expression d'approbation
4 avec difficulté
5 divisible à la fois par 12, 52 et 365
6 indispensables si on veut dormir confortablement en camping
7 elles font partie de la batterie de cuisine
8 on les met, on les enlève

4 Untangle the crossed phone lines and match each question with the most likely answer.

1 Je m'appelle McCullough.
Vous voulez que j'épelle?
2 Est-ce que je pourrais parler au directeur?
3 On pourrait avoir une chambre pour deux personnes?
4 Je me demandais si je n'avais pas laissé mon parapluie dans votre taxi.
5 Vous reviendrez quand?

a Ça dépendra du temps.

b Vous désirez un grand lit ou deux lits?

c Vous avez de la chance, je viens de le trouver.

d Je regrette, mais il est en vacances aux Antilles.

e Attendez un instant, je vais chercher mon stylo.

5 Answer these questions about future events, choosing suitable activities from the list below.

1 Qu'est-ce que Colette fera à Noël?
2 Qu'est-ce que tu vas faire en sortant du bureau?
3 Que feront les enfants à Pâques?
4 Qu'est-ce que vous ferez en arrivant à Boulogne?
5 Qu'est-ce qu'on fait ce soir?
6 Qu'est-ce que François fera quand il prendra sa retraite?
7 Que feront les Martiens quand ils débarqueront sur la Terre?

cultiver des roses dans les jardins de l'Élysée
aller prendre l'apéro au café de l'Univers
camper sur le Champ de Mars
aller manger une bonne bouillabaisse chez Marius
aller faire du ski dans les Alpes
acheter du vin et du fromage pour les rapporter en Angleterre
passer le réveillon chez Willy

6 Staying at **un village de vacances,** you consult the week's programme of activities. Below are some extracts (the handwritten one is for the small children), and they form the basis for your conversation with a Frenchman who's also looking at the list. Fill in your part of the conversation in French.

ANIMATION

Jeudi 18 Juillet

9h 30   Footing
11h   Tennis
15h   Initiation boomerang
20h 30   Départ pour une balade nocturne à Gréoux. Départ de l'accueil. Prévoir des lampes électriques ainsi que de bonnes chaussures.

Jeudi 18

9H   Accueil
    Jeux + Activités manuelles
12H   On retrouve ses parents (ou repas pris en charge)
14H   Accueil
    Temps calme (jeux, lecture, dodo)
16H   Goûter

Vendredi 19 Juillet

9h 00 à 9h 15   Accueil des enfants
9h 20   Départ pour une randonnée pédestre de toute la journée avec le pique-nique. Destination St-Martin-de-Bromes par les collines. Prévoir chapeau et chaussures de marche. Repas au bord de l'eau. Visite du village, sa tour templière, son église romane. Retours vers 18h 30. Pour cette promenade il est nécessaire de s'inscrire auprès de l'animatrice dès lundi.

Frenchman	Vous avez vu le programme? Il est bien, non?
You	*(Say yes, he's right, it's not at all bad. In fact you think you're going to do the boomerang for beginners.)*
Frenchman	Ah, c'est intéressant, ça. Vous en avez déjà fait?
You	*(No, but you're going to try.)*
Frenchman	Moi, j'en ai fait en Australie il y a quelques années. Vous verrez, c'est très amusant. Et à part ça, vous avez d'autres projets?
You	*(The night ramble looks fun. You're going to buy a torch in the village.)*
Frenchman	Oui, vous en aurez besoin.
You	*(And what's good here is that there are six tennis courts – you adore tennis.)*
Frenchman	Vous êtes sportive, vous!
You	*(And the next day there's another walk, for the whole day this time. You're going to have a picnic by the lake and then visit the old church.)*
Frenchman	Eh bien, dites donc, vous allez être drôlement occupée! Vous n'arrêtez pas!
You	*(Yes, you like to do a lot of things when you are on holiday, and what's more there's a lot of activities for the children too.)*
Frenchman	Oui, c'est justement pour ça que je viens ici. Les enfants peuvent faire toutes sortes de choses, et comme ça, je suis tranquille pour me faire dorer au bord de la piscine.

7   Here are three excursions described in a guidebook to the region around Manosque and Gréoux-les-Bains.

Lac d'Esparron
Traverser la Durance par la D 907. Atteindre **Gréoux-les-Bains** par la D 82 (station thermale – vieux château des Templiers). Longer le Verdon pour surplomber le barrage et le lac. A **Esparron-de-Verdon** (base nautique). Revenir par le même chemin ou prolonger la promenade par **Albiosc** et **Allemagne-en-Provence** (château – se visite). Rejoindre Gréoux par la D 952, puis Manosque.
    60 à 70 km.

Gorges du Verdon
Traverser la Durance par la D 907, prendre la direction de **Valensole** (D 6), plateau planté d'amandiers, lavandin, céréales. Continuer sur **Riez** et **Moustiers-Ste-Marie** (cité de la faïence). Faire le tour complet des Gorges par la rive droite. A **La Palud-sur-Verdon** prendre la route des Crêtes (vues impressionnantes sur le Grand Canyon). Revenir sur la D 952. Traverser le Verdon à **Pont de Soleils** et D 955 jusqu'à Trigance (sur la droite), pour rejoindre la Corniche Sublime. Terminer le circuit par **Aiguines**, Moustiers, Valensole, Manosque.
    215 km environ – Bonne route mais virages.

Lac de Ste-Croix
Par Gréoux-les-Bains et Allemagne-en-Provence, suivre la D 11
jusqu'à Ste-Croix-du-Verdon dominant le lac de Ste-Croix, vaste
plan d'eau de 2.200 ha (nautisme – moteurs interdits). Faire le tour
du lac par la D 111, le barrage, Bauduen, Les Salles-sur-Verdon,
rejoindre **Moustiers-Ste-Marie** (porte des gorges du Verdon).
Retour par la D 952, **Riez** (colonnes romaines, Musée
archéologique et Musée Nature) – Allemagne-en-Provence, Gréoux
et Manosque.
    140 km environ.

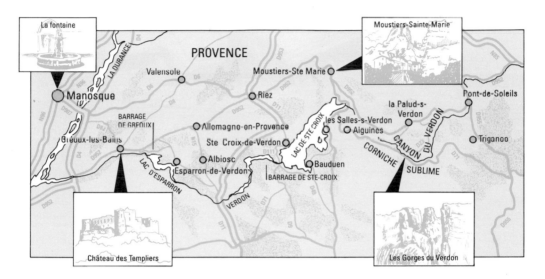

(D = (route) départementale – equivalent of a British B road)

1 What alternative routes can you take after Esparron-du-
   Verdon in the first excursion?
2 What's Moustiers-Ste-Marie famous for?
3 Does **moteurs interdits** mean you can't go there by car?
4 Which excursion a) goes right round a lake; b) gives you
   impressive views; c) overlooks a hydroelectric dam?
5 Which road will take you past almond trees and fields of
   lavender?

8 Listen to the conversation on *Franc-parler* cassette 1 between
  Daniel and a holiday-maker from Lyon about car problems. Then
  answer these questions.
   1 How long has the holiday-maker had the Volkswagen?
   2 Has it let him down?
   3 Talking of a previous holiday, what did he consider **un mauvais
     signe pour les vacances?**
   4 What did they do with the radiator?
   5 **Avec du recul on en rit** means what?

6 Why does Daniel say **Mais enfin vous êtes revenus avec une voiture neuve?**

7 What happened to the Citroën in the end?

2 SPECTACLES

Saying how marvellous or how awful you find someone or something

Making comparisons using plus, moins, le plus, le moins

1 Pierre travaille comme animateur au village de vacances de Château Laval. Il s'occupe du club réservé aux adolescents. Et, comme il s'intéresse beaucoup à la musique, il a décidé d'initier les jeunes du groupe à l'orgue électronique. Pour commencer, il leur a fait une petite démonstration de ses talents.

Garçon	Alors, Pierre va nous jouer une de ses compositions à l'orgue.
Garçon	C'est génial.
	(Pierre joue un morceau)
Daniel	Alors, qu'est-ce que vous en pensez?
Garçon	Ça devrait être un tube.
Jeune fille	C'est superbe.
Garçon	Oui, c'est bien.
Garçon	C'est génial.
Daniel	Bon ben alors, c'est la salle Pleyel la prochaine fois. D'accord?
Garçon	Oui, oui.
Pierre	La salle Pleyel, oui.

---

un tube   *a hit (pop song)*

ça devrait être un tube	*it should be in the charts*
la salle Pleyel	*famous concert hall in Paris*

2 La ville de Gréoux-les-Bains est dominée par un château du XVème siècle. Malheureusement, celui-ci est en ruines mais il fournit un cadre assez impressionnant aux concerts qu'on y donne l'été. C'est donc dans ce décor réel qu'a eu lieu, par une belle soirée de juillet, le concert de musique pour quatuor de saxophones dont nous parle Elsa, une jeune habitante de Gréoux.

Le

Comité de Jumelage

présente le

Quatuor de Saxophone

CHATEAU

DES TEMPLIERS

Samedi 13 Juillet 1985 à 21H-

Daniel	Comment as-tu trouvé ce concert?
Elsa	Moi, je trouve que c'était très bien, ça m'a bien plu ce qu'ils ont joué. C'était varié, ils jouaient bien; puis c'est bien les quatre saxophones … d'avoir quatre saxophones différents.
Daniel	Est-ce que tu préfères ce genre de musique, ou plutôt le rock ou des choses un peu différentes?
Elsa	Non, moi j'aime à peu près toutes les musiques sauf les choses comme le hard rock. Les rocks anciens j'aime bien mais … bon, les rocks nouveaux qui sont assez durs j'aime pas.
Daniel	Est-ce que tu vas souvent au spectacle comme ça, au concert?
Elsa	J'aime bien y aller, j'aime bien aller à des spectacles comme ça.
Daniel	Est-ce qu'il y a d'autres genres de spectacles qui te .. t'intéressent en plus de la musique?
Elsa	J'aime beaucoup le théâtre … et la danse.
Daniel	Quelle est la dernière pièce de théâtre que tu as vue?
Elsa	Euh … La dernière? Je ne sais plus.

* **Qu'est-ce qu'Elsa aime?**

* **Qu'est-ce qu'elle n'aime pas?**

3 Le 14 juillet est une journée très importante en France: c'est le jour de la Fête Nationale qui commémore la prise de la Bastille et le début de la Révolution Française de 1789. Dans toutes les villes et dans presque tous les villages du pays, on organise des défilés, et la fête se termine toujours par un feu d'artifice suivi d'un bal, le soir. À Gréoux, petits et grands étaient réunis pour admirer le spectacle. Voici quelques-unes de leurs réactions.

Corinne	Oh, regarde!
Catherine	Ah, il était beau, hein?
Corinne	Orange et bleu.
Catherine	Oui. Des points bleus et le reste orange.
Corinne	Oui. Comme une anémone de mer? … Tout blanc.
Catherine	Blanc et violet.
Corinne	T'as vu du violet? *(Oui)* Moi j'ai pas vu de violet.
Catherine	Ou bleu, je sais pas.
Corinne	Ah bon? Eh, j'ai besoin de lunettes! *(T'en as)* J'ai pas vu de violet.

Après le feu d'artifice, tous les spectateurs échangeaient leurs impressions. Daniel en a profité pour demander à une dame ce qu'elle avait pensé du spectacle.

Dame Il est aussi joli que les deux années précédentes; nous, ça fait la troisième année. Et vraiment c'est très très joli, très très chouette, oui, avec ce château, là, illuminé plus, bon, la musique environnante et les fusées là, c'est vraiment joli, oui. On est ravis!

t'en as   = tu as des lunettes *(Catherine had seen Corinne with glasses but she wasn't wearing them that night)*

Le feu d'artifice était-il plus ou moins joli que l'année précédente?

4 Jean est au chômage. Pour remplir ses journées, quand il n'est pas à la recherche d'un travail, il regarde beaucoup la télévision. Mais il n'aime pas toujours toutes les émissions qu'on y diffuse. Que pense-t-il par exemple des feuilletons américains *Dallas* et *Dynastie*?

DIMANCHE   15 DÉCEMBRE

UN FEUILLETON AMÉRICAIN

18.00   # DALLAS

Sous-titrage visible pour les malentendants munis d'un décodeur.

Faits et défaites

RÉALISATION DE MICHAEL PREECE

SCÉNARIO DE DAVID PAULSEN

Cliff et Jamie se son˙ mariés. Il s'a˙˙ appo˙

Bobby Ewing ..... **Patrick Duffy**
Sue Ellen Ewing ..... **Linda Gray**
J.R. .... **Larry Hagman**
Donna Krebbs .. **Susan Howard**
Ray Krebbs .... **Steve Kanaly**
Clayton Farlow .... **Howard Keel**
Cliff Barnes .... **Ken Kercheval**
Jenna .... **Priscilla Presley**
Pam .... **Victoria Principal**
Miss Ellie .... **Donna Reed**
Mandy .... **Deborah Shelton**
Jamie Ewing. **Jenilee Harrison**
Jack Ewing.......... **D˙˙˙˙˙˙**
Amanda......

Corinne	Quand vous regardez la télévision, est-ce que ça vous arrive de regarder les feuilletons comme *Dallas* ou *Dynastie?*
Jean	Ah oui, bien sûr, oui bien sûr. *Dallas*, oui. Je regarde beaucoup les feuilletons à la télévision, *Dallas* et *Dynastie*, mais je préfère *Dallas* comme feuilleton.
Corinne	Oui? Et les actrices, alors, qui jouent dans *Dynastie*, vous les trouvez comment?
Jean	Ah, très jolies.
Corinne	Oui?
Jean	Très jolies.
Corinne	Oui? Parce qu'en .. en Grande Bretagne on parle beaucoup de Joan Collins en particulier ... celle qui joue Alexis –
Jean	Oui –
Corinne	Qui est devenue célèbre à plus de 40 ans, je crois.
Jean	Oui. Elle a quel âge maintenant?
Corinne	Une cinquantaine d'années?! C'est difficile de dire ...
Jean	Mais je préfère quand même ...
Corinne	La femme de JR, elle est plus séduisante?
Jean	Non, non, non, non, là-dessus, non.
Corinne	Parmi toutes les héroïnes de *Dallas* et *Dynastie*, la plus jolie, c'est qui?
Jean	Aïe, aïe!
Corinne	Pour vous?
Jean	Il faut reconnaître une chose: en *Dall-* ... dans *Dallas* elles sont pas toutes mignonnes. Bon, elles jouent très bien, mais elles sont pas toutes mignonnes. Par contre, moi (celui) que j'adore dans *Dallas* c'est JR, puis .. et puis Bobby, bon ben. Sans JR le feuilleton n'existerait plas ... n'existerait pas, pardon.
Corinne	Aha. Oui. Mais ça vous gêne pas qu'il soit tellement affreux? Parce qu'il est vraiment ...
Jean	Bon, ça c'est le ...
Corinne	Odieux, non?
Jean	Si, il est odieux, bien sûr, c'est .. c'est ... C'est peut-être ce qui fait aussi, ici en France, qu'on l'aime bien, c'est peut-être ça aussi.
Corinne	Le fait qu'il soit riche et méchant?
Jean	Le fait qu'il soit riche et méchant, peut-être c'est ça.
Corinne	Oui.

vous les trouvez comment?	*how do you like them?, what do you think of them?*
là-dessus	*in that respect*
(celui) que j'adore	*the one I like very much (Jean misses out* celui *by mistake)*
il soit	*the subjunctive of* être *– means the same as* il est
c'est ce qui fait qu'on l'aime	*that's why we like him*

* Comment Jean trouve-t-il les héroïnes de *Dallas?*

* D'après lui, pourquoi est-ce qu'on aime JR en France?

5 Emmanuelle travaille à Rouen, dans une discothèque. Contrairement à ce que l'on pourrait croire, il ne s'agit pas d'un endroit où l'on va pour danser, mais d'un établissement où l'on peut emprunter des disques (l'équivalent d'une bibliothèque, qui, elle, prête des livres). Son travail donne donc à Emmanuelle la possibilité d'écouter toutes sortes de musiques.

Danielle Toi, c'est quoi ta musique, ou tes musiques préférées?

Emmanuelle Bon, quand je suis arrivée, à l'origine, c'était la pop musique, c'est sûr – enfin le rock plus que la chanson, enfin la pop musique en général. Alors maintenant je me suis mise au classique – le jazz, j'ai beaucoup plus de mal à m'y mettre, enfin à part le jazz très classique mais . . . c'est pas une musique qui m'attire tellement. Enfin c'est surtout le classique et la pop, quoi.

Danielle Il y a des disques ou des groupes ou des choses en particulier qui te branchent en ce moment?

Emmanuelle Euh, alors ce qu'on écoute en ce moment c'est un chanteur italien qui s'appelle Paolo Conte; on a reçu le disque il y a deux jours à la discothèque et . . .

Danielle Et c'est formidable?

Emmanuelle C'est notre favori du moment. Je sais pas si c'est formidable mais ça passe vraiment bien.

Danielle Et est-ce que c'est vrai ce qu'on dit, qu'il y a pas de chanteurs vraiment importants ou vraiment bien en ce moment?

Emmanuelle Oui, moi je crois que c'est vrai.

Danielle En France?

Emmanuelle Oui. Enfin tous les chanteurs qu'on . . . tous les disques de chanson qu'on achète c'est toujours du déjà-vu, enfin on a toujours l'impression d'entendre du Brel ou du Brassens (*oui*) ou des choses comme ça.

j'ai du mal à m'y mettre	*I have trouble getting into it*
des choses qui te branchent	*things that turn you on*

* De quels genres de musique est-ce qu'Emmanuelle parle?

* Emmanuelle est française – et Paolo Conte? Et Jacques Brel? Et Georges Brassens?

6 La Thomassine est une ferme située dans les collines qui entourent Manosque, dans un très joli coin de la Provence. Ses habitants y vivent de façon écologique: ils pratiquent une culture biologique dans leur jardin potager et organisent des séances de yoga ou de 'ressourcement' pour les citadins qui viennent faire des stages à la Thomassine. En été, les repas ont lieu en plein air, devant la maison, et on peut donc admirer la vallée tout en mangeant, ainsi que Christian, le maître des lieux, invite Daniel à le faire.

Christian	La cloche n'a pas … Je crois que quelqu'un va aller la sonner, vous allez entendre, c'est pour le repas, hein. *(La cloche sonne)* Voilà. Alors maintenant, les gens vont se rassembler, dans notre salle à manger, vous voyez, qui est extraordinaire puisque on voit à peu près à 80 kilomètres de distance là, à peu près, hein. Aujourd'hui c'est un petit peu brumeux, autrement … on aperçoit des collines qui sont sur Aix-en-Provence; Aix-en-Provence, Marseille, voyez … hein.
Daniel	Il y a une très belle vallée là –
Christian	Très très belle –
Daniel	– sous nos yeux, avec quelques habitations et des tuiles rouges.
Christian	Oui, ah beh évidemment c'est … ce sont les habitations de type provençal, hein. Nous sommes dans une .. dans une région où c'est très .. c'est très protégé de ce côté-là. On ne peut pas construire n'importe quoi n'importe comment, hein. Il faut construire dans le style du pays; et, en plus, nous sommes dans une zone de nature protégée puisque nous sommes dans le Parc Naturel Régional du Lubéron, hein. Nous sommes dans un parc ici – à l'extrémité mais nous y sommes encore, hein. Et alors, bon, c'est très intéressant; c'est très intéressant pour la vie que nous proposons ici de .. d'être dans un lieu privilégié, puisque nous avons derrière nous 5000 hectares de forêt, hein, qui jouxtent la Thomassine. Et la propriété fait 46 hectares, et puis il y a plusieurs sources, il y a des ombrages, il y a des vergers, il y a des jardins, il y a … enfin, bon …
Daniel	Je vois, vous avez de beaux oliviers là?
Christian	Oui. Alors, c'est le dernier fruit de l'année ça, hein, les …
Daniel	En novembre, non?
Christian	Oh plus que ça, vers la Noël, vers la Noël, et même on continue après les fêtes du jour de l'An, hein. Ça continue durant le mois de janvier, les bonnes années. C'est vraiment la dernière récolte, on appelle ça les olivades, et en provençal 'les oulivadou', hein,

et un grand poète provençal, Mistral – peut-être on en a entendu parler en dehors de la France – la dernière œuvre qu'il a écrite, il l'a intitulée comme ça, vers la fin de sa vie, pour signifier justement que c'était la fin, *Les Oulivadou*, voilà.

La récolte des olives

n'importe quoi n'importe comment	*any old thing any old how*
peut-être on en a entendu parler	*perhaps people have heard of him*

* Pourquoi est-il intéressant pour Christian et ses amis d'être dans un Parc Naturel Régional?

* Pourquoi est-ce que Mistral a appelé sa dernière œuvre *Les Oulivadou*?

LE POURQUOI ET LE COMMENT

Saying what you think
If someone asks what you think of something

qu'est-ce que vous pensez de ...?
comment trouvez-vous ...?

1 Your answers can range from the mildly approving to the wildly enthusiastic

c'est bien	*it's OK*
c'est pas mal	*it's not bad*

| c'est | formidable!
merveilleux!
génial! | it's | great/tremendous!
marvellous/wonderful!
brilliant! |

on est ravis!   we're absolutely delighted!

and there are a couple of common slang expressions

c'est chouette!, c'est super!   it's terrific/magic!
c'est super chouette!

2   You can be more precise according to circumstances

c'est joli   it's pretty
c'est varié   it's varied
c'est bien fait   it's well done
c'est extraordinaire   it's remarkable

and you can add **très** (or **très très**!) or **vraiment** to be a bit more emphatic

c'est vraiment joli   it's really pretty
c'est très bien fait   it's very well done
c'est vraiment très joli   it's really very pretty

or the common colloquial word **drôlement**

vous allez être drôlement   you're going to be pretty busy
  occupé

3   You can use the verb **plaire**

ça me plaît   I like it (lit. it pleases me)
le spectacle m'a bien plu   I liked the show a lot

and a more colloquial expression

ça me branche   it turns me on

4   If you want to qualify your praise a bit

c'est bien mais ...   it's nice but ...

or use **assez** or **sauf**

j'aime assez la musique pop   I quite like pop music
j'aime la musique pop sauf le   I like pop music except for hard
  hard rock   rock

5   And if you don't like something much, or at all

je n'aime pas tellement ...
je n'aime pas du tout ...
je déteste ...

| c'est | affreux
atroce
dégoûtant | awful
terrible
disgusting |

Note that **terrible** in French can mean *terrible* or *terrific* according to context.

6   People can be

joli(e)   pretty
beau/belle   good-looking/beautiful

mignon(ne)	*sweet, nice-looking*
séduisant(e)	*attractive*
sympathique (sympa)	*nice*

or on the other hand

affreux/affreuse	*horrible*
méchant(e)	*nasty*
antipathique	*not nice*
odieux/odieuse	*appalling, loathsome*
laid(e)	*ugly*

7 To express your intimate feelings

je t'aime *or even* je t'adore	*I love you*
je t'aime bien	*I like you*

8 Talking about food you can say

c'est bon
c'est très bon
c'est délicieux

More or less

1 To say something is bigg*er*, pretti*er*, *more* beautiful, add **plus**

grand	*big*	plus grand	*bigger*
joli	*pretty*	plus joli	*prettier*
beau	*beautiful*	plus beau	*more beautiful*

There's one exception

bon	*good*	meilleur	*better*

You'll also come across **pire**, which means *worse*.

2 You can add **un peu** to make it a bit more so, or **beaucoup** to make it much more so

un peu plus facile
beaucoup plus confortable

3 And *less* is **moins**

moins joli
un peu moins
beaucoup moins

4 Making comparisons
To say someone or something is pretti*er*/cheap*er than* someone or something else, use **plus ... que** or **moins ... que**

Juliette est *plus* jolie *que* sa sœur
le vin de table est souvent *moins* cher *que* l'eau minérale

If Juliette is *as* pretty *as* her sister, use **aussi ... que**

Juliette est *aussi* jolie *que* sa sœur

and in certain stock phrases you'll find **comme**

elle est jolie comme un cœur   *she's as pretty as a picture*

You'll often hear the phrase **comme tout**

c'est facile comme tout   *it's as easy as could be*
il est gentil comme tout   *he's ever so nice*

The biggest and the best

1 To make *bigger* into *the biggest*, add **le, la** or **les**

le plus grand aspidistra du *the biggest aspidistra in the*
 monde   *world*
le meilleur restaurant de la ville *the best restaurant in town*

Notice the use of **de** where English uses *in*.

2 And to make *less* into *the least*, add **le, la** or **les**

je vais toujours chez Prisunic *I always go to Prisunic because*
 parce que c'est là que c'est *it's the cheapest*
 le moins cher

DES MOTS ET DES CHOSES

génial
This has more to do with the meaning of *genius* than with the
English *genial*. It means *very clever* or even *very good* or *nice
one*: **une idée géniale** – *a brilliant idea*.

discothèque
How do you start with a bookcase and end up with a nightclub?
Before it became a place where you dance to records, **une
discothèque** was somewhere where you could borrow them – a
record library in fact. The French word for *library* is **une
bibliothèque**. It comes from two Greek words meaning *book* and
box, so it became the French word for *bookcase* and then for
library. **Une librairie** is *a bookshop* and *a record shop* is **un
magasin de disques**. Can you guess what **une vidéothèque** is?

brancher
is the usual word for plugging something into the electricity
supply: **la télévision ne marche pas, regarde si elle est bien
branchée**. So its slang use is fairly obvious: **si t'es branché, t'es
in, t'es dans le vent, quoi!**

intéressant
has two distinct meanings in French, deriving from **l'intérêt** that
you can show in something and **l'intérêt** that your money earns
in the bank. It can mean *interesting*, as in English, or
advantageous (and usually financially rewarding). When
Christian says (p 31) that being in a protected area is **intéressant**
for the sort of life he wishes to live, he means *advantageous*.

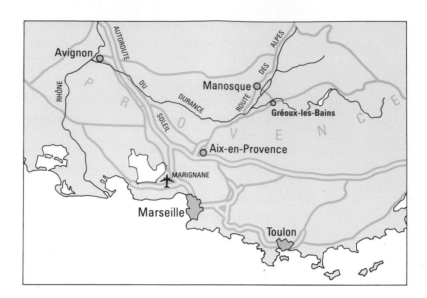

provençal

The adjective from the word **Provence,** the region in the South of France stretching eastwards to Italy from the southern end of the Rhône valley – it corresponds more or less to the Departments of Vaucluse, Bouches-du-Rhône, Hautes-Alpes, Alpes de Haute-Provence, Var and Alpes-Maritimes. The name comes from the Latin word **provincia** *(province)* because it was the first Roman conquest outside Italy – as a result of which it has a wealth of Roman remains among its many other attractions.

The region has a strong local identity, a characteristic architectural style (which includes semicircular roof tiles that are Roman in origin), and its own language, **le provençal,** which is older than French and is still flourishing. The 19th-century poet Frédéric Mistral is probably the best-known writer to have written his work in **provençal.**

Expressions à retenir

qu'est-ce que vous en pensez?
la prochaine fois
j'ai besoin de ...
ça vous arrive de ...?
ça vous gêne ...?
il y a deux jours
avoir entendu parler de ...

EXERCICES

1 1 These 8 words have been split in half – reunite the appropriate parts:

pro-	-vent	af-	-nier
der-	-hors	mé-	-li
sou-	-chant	vrai-	-freux
jo-	-ment	de-	-chain

2 Unscramble these 4 words:

SPARE   (il y en a trois ou quatre dans une journée)
ANNSHOC   (on la chante)
MONING   (compliment en parlant de quelqu'un)
EXUDOI   (contraire de 'sympa')

2 Here are some sentences spoken by people who've just had a good time. Complete the enjoyment with a suitable expression from the list below.

la prochaine fois	ça m'a plu	en plus
vraiment	comme	intéressant

1 L'excursion était bien; ....
2 Il faisait .... beau, le soleil a brillé toute la journée.
3 Le paysage était superbe. C'était .... sur une carte postale.
4 Le chauffeur du car conduisait très bien, et .... il était mignon.
5 On a très bien mangé, et comme on était nombreux, le restaurant nous a fait un prix ....
6 L'église romane qu'on a visitée était magnifique, mais il faisait drôlement froid. .... j'emporterai une petite laine.

AUX GROTTES

3 A group of French tourists have been to visit **les Grottes de Pajoli.** How do you think they'd express their opinions, given that:
1 Emmanuelle was wildly enthusiastic
2 Pierre was mildly appreciative
3 Elsa was quite appreciative
4 Corinne was over the moon
5 Loulou was quite unimpressed
6 Chantal was very enthusiastic
7 Marc didn't think much of it

4   You're sitting in front of a wealthy Texan on a guided coach tour of Provence, and you're translating everything he says for the benefit of your French friend.

Guide	Ici, à droite, il y a un lac, le lac d'Esparron.
Texan	*(We have a lake at home; it's much bigger, in fact it's the biggest in Texas.)*
Guide	Sur votre gauche vous pouvez admirer Château Laval et son très beau parc.
Texan	*(It's not as beautiful as the park at Versailles; that's the most beautiful in the whole of France.)*
Guide	Nous arrivons maintenant à Manosque, célèbre pour son vieux quartier.
Texan	*(I wonder if it's as old as the French quarter in New Orleans?)*
Guide	Pour les amateurs de musique, il y a un orchestre très connu qui donne un concert sur la place du marché ce soir.
Texan	*(We heard an even more famous orchestra in Paris at the Salle Pleyel.)*
Guide	Et pour ceux que la musique n'intéresse pas particulièrement, on produit un très bon vin de pays dans la région.
Texan	*(I'm sure the wine they make in California is better.)*
Friend	On dirait JR, il est tout aussi antipathique.
Texan	You're wrong. In Texas we're worse than JR!

5   You're watching TV in a French café, and asking about the programme that's on.

You	*(What is the programme? What's going on exactly?)*
Barman	Bon, alors, ce qui se passe c'est qu'il y a une douzaine de chanteurs ou de danseurs qui se présentent.
You	*(Are they professionals, these singers and dancers?)*
Barman	Non, non, pas du tout. Ce sont des gens comme vous et moi –

n'importe qui peut se présenter, mais les meilleurs auront la possibilité de se lancer dans une véritable carrière

You *(Right, I understand. And the best ones are selected by that jury?)*

Barman Oui, ils sont sélectionnés par le jury qui est composé de personnalités du monde du spectacle.

You *(And are there any very famous personalities in the jury?)*

Barman Il y a Renaud, le chanteur.

You *(Which one is he – the small dark man?)*

Barman Non, non, c'est le type blond qui porte des lunettes de soleil.

You *(He's quite nice-looking, isn't he? You said he was a singer – has he had any hits?)*

Barman Oui, je crois que sa chanson la plus connue c'est *Miss Maggie*. Vous devez connaître. Ça parle de votre premier ministre, la Dame de Fer, Madame Thatcher.

You *(Ah yes, I've heard of it. It's a bit nasty, isn't it?)*

Barman Méchant, je ne sais pas. Enfin, ça dépend des opinions, quoi. Moi, personnellement, je trouve ça très drôle.

6 Read the section about La Thomassine up to '... **le Parc Naturel Régional du Lubéron**'. Then come back to this page and answer the questions in French. Only look back at the text if you get stuck.

1 Pourquoi est-ce qu'on sonne la cloche?
2 Christian dit que la salle à manger est extraordinaire – pourquoi?
3 Pourquoi est-ce qu'on ne peut pas voir les collines d'Aix-en-Provence ce jour-là?
4 Depuis la salle à manger il y a une très belle ....
5 Christian dit: 'On ne peut pas construire n'importe quoi n'importe comment'. Que veut-il dire par là?

7 Read the extract from the magazine. Briefly, in English, how did the young man get his big chance?

UN NOM D'ARTISTE

Tout jeune déjà, quand il allait danser, il passait la plupart de son temps à regarder évoluer l'orchestre, comme s'il voulait y entrer.

Sa spécialité c'est la chanson italienne et les slows. Il imite Barzotti ou Claude François. Sa chance, il l'a eue voici 4 ans. Invité à une soirée au Cartoom Hôtel, sur la Corniche, le chef d'orchestre annonce: 'Y a-t-il un chanteur dans la salle?'

Vincent poussé par ses camarades monte sur scène. Les musiciens sont à sa disposition. Il chante successivement deux chansons de Claude François. C'est le succès! La révélation pour son entourage! Vincent Palombo, un nom d'artiste qui demande à le devenir...

8 Listen to the conversation on cassette 1 in which Daniel finds out from **le directeur** what there is to do at **un village de vacances**. Then answer these questions.

1 What do you get every week?
2 This week there are two trips outside the village – where to and what for?
3 What special facilities are there for children?
4 What activities are available?
5 What is their 'speciality'?

EN HAUTE PROVENCE

château laval

l'accueil familial

GRÉOUX–LES–BAINS
CENTRE DE LOISIRS ET DE VACANCES

3 SANTÉ

Talking about your health

Giving and understanding instructions

A brief revision of pronouns and their use

Les boules,
c'est la santé!

1 A la Pizzéria du Rocher, les pizzas sont énormes. Daniel, Corinne
et les autres, qui sont gourmands et voudraient goûter à tout, ont
donc décidé d'en commander plusieurs et de les partager. Mais
les problèmes commencent lorsque Corinne découvre que l'une
des pizzas contient des anchois.

Daniel   Bon, alors, qu'est-ce qu'on mange?

Serveuse   Messieurs-dames, qu'est-ce que vous prendrez pour déjeuner?

Daniel   On va prendre des pizzas mais on ne sait pas, on ne sait pas
encore quoi ... lesquelles.

Serveuse   Bon ben, vous avez aux poivrons, aux anchois (*oui*), au fromage,
à la mozzarella – c'est un fromage aussi (*oui oui*); la Royale qui
a des ... du fromage, du jambon et des champignons (*oui oui*),
et aux anchois. Est-ce que ...

Corinne   Moi, je peux pas prendre d'anchois.

Daniel   Tu prends pas d'anchois, toi?

Corinne   Non, j'aime pas le poisson, alors si vous voulez en prendre ...

Daniel   On peut en faire peut-être moitié moitié alors.

Serveuse   Voilà, c'est ce que nous allons faire: moitié fromage, moitié
anchois. Comme ça Madame mangera le fromage.

41

La Pizzéria du Rocher

Daniel	Oui, parce que vous aimez les anchois, vous, hein?
Fillette	Oui.
Serveuse	Les enfants aiment le fromage (*bon*), non, les anchois?
Daniel	Bon, alors on va prendre moitié anchois, moitié fromage (*en premier*) pour la première, et puis (*la seconde*) ensuite on prend … on prend la Royale (*oui, entendu*): champignons, jambon et fromage, d'accord?
Serveuse	Entendu, entendu.
Daniel	Et qu'est-ce que vous nous recommandez comme vin alors?
Serveuse	Alors, écoutez, vous voulez du vin rosé ou du vin rouge?
Daniel	On prend un petit rosé, non?
Tous	Oui.
Daniel	De la région?
Serveuse	Un rosé de Provence?
Daniel	Oui.
Serveuse	Voilà, entendu. Bon, je … (*Merci*) Vous voulez de la salade, après ça?
Daniel	Oui, on prendra une salade verte.
Serveuse	Bon, une salade verte (*oui*), entendu.
Daniel	Et vous nous faites la sauce avec un petit peu de moutarde, hein?
Serveuse	Entendu, un peu de moutarde, et un peu d'ail –
Tous	Et un peu d'ail!
Daniel	Et un peu d'ail. Voilà, formidable!
Serveuse	Chez nous toujours un peu d'ail (*OK*), bon, voilà.
Daniel	Merci bien.
	En attendant les pizzas …
Daniel	Alors, c'est bizarre, ça: tu manges pas d'anchois?
Corinne	Il y a pas que les anchois, c'est tous les poissons en fait. Le poisson, ça me rend malade, en quelque sorte je suis allergique.
Daniel	Ah bon, je comprends parce que moi j'ai le même problème avec le … avec le café. J'en bois presque plus parce que, quand j'en buvais tous les jours, ça me faisait venir des marques rouges sur

le visage. (*Ah bon?*) Enfin, je crois que c'est le café parce que je me suis arrêté et puis ça a l'air de passer, là

Corinne   Tandis que moi, le poisson, c'est pas ... J'ai pas de réaction au niveau de la peau mais je me sens vraiment malade, et puis rien que l'odeur, ça suffit à me dégoûter, alors là ...

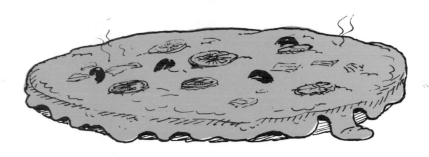

il y a pas que les anchois	*it's not only anchovies*
ça me faisait venir des marques rouges sur le visage	*it made my face come out in red blotches*
rien que l'odeur, ça suffit à me dégoûter	*just the smell, that's enough to put me off*

*   Pourquoi est-ce que Daniel comprend si bien le problème de Corinne?

*   Qu'est-ce qui vous rend malade, vous?

2   Bien entendu, Corinne n'a pas avalé une seule bouchée d'anchois. Mais la voilà quand même malade. Oh, rien de grave! Elle souffre seulement d'une irritation de l'œil qui l'empêche de profiter du soleil provençal. Est-ce la vue des anchois qui a provoqué ça?

Pharmacienne   Bonjour.

Corinne   Bonjour. J'ai un problème avec mon œil gauche, je me demandais si vous auriez quelque chose pour le soigner?

Pharmacienne   Vous avez une irritation ...?

Corinne   Oui.

Pharmacienne   Vous portez des lentilles de contact?

Corinne   Oui, oui.

Pharmacienne   Vous avez des problèmes allergiques ou ...?

Corinne   Aussi, oui, j'ai souvent du rhume des foins et de l'asthme d'origine allergique.

Pharmacienne   Et vous prenez déjà des antihistaminiques?

Corinne   Oui, mon médecin m'a prescrit quelque chose, ça s'appelle du Triludan. Ça, c'est quelque chose qui m'a été prescrit en Angleterre mais ça doit correspondre au Teldane ou quelque chose comme ça.

Pharmacienne	Beh, il faut continuer à en prendre et (*oui*) je vais vous donner un collyre pour calmer une irritation.
Corinne	D'accord, merci. Je vous dois combien?
Pharmacienne	38 francs 45.
Corinne	D'accord. Voilà.
Pharmacienne	Merci.

* **Pourquoi est-ce que la pharmacienne demande à Corinne si elle a des problèmes allergiques?**

* **Pourquoi est-ce que l'été pose des problèmes de santé à Corinne?**

3 Aller dans une pharmacie pour acheter un médicament, il n'y a rien de plus simple. Il suffit de trouver une pharmacie ouverte. Mais, avant même de commencer à utiliser un médicament, il faut d'abord lire et surtout comprendre les instructions qui l'accompagnent. Et c'est loin d'être toujours facile.

Corinne   Alors. 'Indications: irritation, conjonctivite', ça va. 'Mode d'emploi', mmm. 'Pour percer le flacon, visser le capuchon à fond.' J'espère que ça va marcher parce qu'en général ces machins-là ... Ah? Ça a l'air ... 'La pointe qui se trouve au fond du capuchon percera ainsi la tétine du flacon', c'est fait. 'Pour procéder aux instillations, dévisser ensuite le capuchon, retourner le flacon, le poser sur la racine du nez, en tirant avec l'autre main la paupière inférieure. Voir l'illustration' – heureusement ils ont mis un dessin, dis donc, parce que pour comprendre ... Ah oui, d'accord. Alors tu retournes le flacon au-dessus de ton œil, tu ouvres l'œil grand, tu tires la paupière du dessous ... Ah, ça y est. Ça coule partout bien sûr. Ah, ça pique pas, c'est bien.

indications	uses (*what the drug is to be used for*)
mode d'emploi	*instructions for use*
ça y est	*that's (done) it*
ça coule partout	*it's running all over the place*

✳ Essayez de faire un petit dessin pour montrer comment il faut s'y prendre pour ouvrir le flacon.

✳ Quand vous retournez un flacon, qu'est-ce qui arrive?

4 À Gréoux, une partie de la cure consiste à faire des exercices dans une piscine aménagée spécialement. Là encore, on vous donne des instructions, mais Gérard, le kinésithérapeute, est là pour expliquer les mouvements et donner l'exemple.

Gérard Ça y est, chacun à sa place. Alors, pour commencer vous placez vos coudes par-dessus les arceaux. Vous écartez bien les coudes pour avoir les épaules dans l'eau. Vous vous allongez à la surface: vos jambes sont bien tendues, votre ventre est remonté près de la surface. À cette position, d'abord vous inspirez. En soufflant, vous repliez vos deux genoux à la poitrine et vous amenez votre front le plus près possible de vos genoux. Inspirez: vous allongez vos jambes, vous remontez bien le ventre à la surface. Soufflez: repliez vos genoux à la poitrine, toujours le front vers les genoux. C'est-à-dire que lorsque vous repliez vos genoux à la poitrine,

d'abord vous abaissez le menton à la poitrine; puis vous amenez votre front vers vos genoux, le plus près possible. Et vous repliez lentement vos genoux pour ne pas vous cogner le front. ... Reposez-vous.

* **Faites un petit dessin d'une personne et indiquez dessus les parties du corps mentionnées par Gérard.**

* **Essayez de faire cet exercice, même si vous n'êtes pas dans une piscine!**

5   Monsieur et Madame Poulin font aussi une cure à Gréoux. Mais ils ne sont pas là pour soigner des rhumatismes ou des problèmes de dos, mais pour nettoyer un peu leurs bronches et tout leur système respiratoire encrassés par le tabac. Leurs deux filles sont encore trop jeunes pour fumer et pourtant, elles aussi suivent la cure ...

Daniel	Vous avez une grande famille?
Mme Poulin	Nous avons deux filles.
Daniel	Et elles aussi font la cure?
Mme Poulin	Elles aussi.
Daniel	Elles ont des problèmes ...?
Mme Poulin	Des problèmes de nez, bronchite, otite (*et ça fait*) ... très classiques.
Daniel	Ça fait plusieurs années que vous venez ici?
Mme Poulin	C'est la deuxième année.
Daniel	Et vous avez l'impression qu'elles se sentent mieux, que ça va mieux?
Mme Poulin	Oui, oui oui, il y a eu une nette amélioration.
Daniel	Et donc moins de problèmes en hiver?
Mme Poulin	Ah oui, beaucoup moins, pas d'absentéisme à l'école – c'est quand même déjà beaucoup.
Daniel	Et le terrain de camping vous plaît ici?
Mme Poulin	Oui, on est venus par hasard mais vraiment on est très très bien, oui, le village de vacances est parfait, à tous points de vue.
Daniel	Est-ce qu'il y a quelque chose qui vous déplaît malgré tout quand vous venez ici?
Mme Poulin	Qui me déplaît? Le soleil qui brille un peu trop fort! C'est ... quelquefois, ça a quelquefois des inconvénients.
Daniel	Vous avez des problèmes de coups de soleil?
Mme Poulin	Voilà!

très classiques	*very straightforward/usual*

* Pourquoi est-ce que Mme Poulin pense que ses filles se portent mieux après la cure?

6 Monsieur Tarragnat est professeur de yoga à Manosque. Il est convaincu que la pratique du yoga aide à maintenir le corps et l'esprit en bonne santé. Mais sa femme et son fils n'ont pas l'air de vraiment partager son opinion ...

Daniel Est-ce que des élèves viennent vous voir parce qu'ils sont malades?

Prof Tarragnat Oui, la plupart des gens qui viennent pratiquer le yoga ont un problème de santé, effectivement. Les motivations ... la motivation principale c'est ... j'ouvre des guillemets: 'Je suis nerveux, ou je suis nerveuse, et je voudrais trouver le calme.' Euh, il y a aussi des gens qui viennent parce que ils ne dorment pas, par exemple, ils ne dorment pas la nuit; d'autres parce qu'ils sont vraiment malades, ils ont vraiment des ... un état névrotique ou un état de maladie chronique, par exemple une bronchite ou un ... ou de l'asthme, des choses comme ça. Et c'est vrai aussi que le yoga apporte des améliorations à cet état.

Daniel Alors, est-ce que, quand on est professeur de yoga, qu'on se promène dans une ville en voiture et puis qu'on arrive pas à se garer ou que les gens bougent pas ... est-ce qu'on se met à klaxonner ou alors on s'énerve ou comment ... qu'est-ce qui se passe?

Prof Tarragnat Non, en principe, la pratique du yoga permet de ... d'équilibrer le système nerveux et d'éviter de souffrir par trop de ... de ce qu'on appelle le stress. La pratique du yoga vous apporte ... c'est un art de vivre et ça vous apporte une certaine sérénité. Je me vois mal en train de klaxonner derrière quelqu'un qui serait mal garé ou qui m'aurait gêné dans la conduite automobile.

Daniel C'est un art de vivre – dans votre famille comment ça se passe?

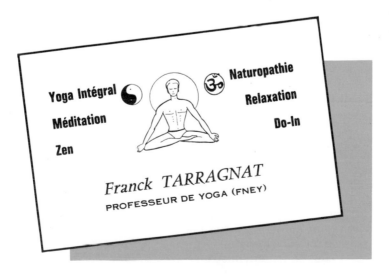

Prof Tarragnat   Eh bien, dans ma famille on ne pratique pas le yoga, hein, c'est
. . . je suis le seul à pratiquer le yoga dans la famille. Ma femme
prétend qu'elle n'a pas le temps et mon fils préfère le culturisme.
Alors, je leur laisse tout à fait la liberté et je ne les influence pas
dans ce domaine, mais si un jour ils me posent une question sur
le yoga je . . . bien sûr, je suis très heureux de leur répondre et
de leur en parler. Mais souvent ma femme me dit: 'Tu en fais
assez pour nous tous et c'est pas la peine que je m'y mette!'
Tout simplement, oui.

je me vois mal en train de klaxonner	*I can't see myself sounding my horn*
c'est pas la peine que je m'y mette	*it's not worth me going in for it*

*   Faites une liste de tous les mots du texte qui ont un rapport avec
la santé.

LE POURQUOI ET LE COMMENT

Talking about your health

1   To say you can/cannot do something, use **pouvoir** + an infinitive

je ne peux pas manger d'anchois	*I can't eat anchovies*

2   To say something makes you ill, use **rendre malade**

le poisson me rend malade	*fish makes me ill*

3   To say what is wrong with you, use **avoir un problème avec/de**

j'ai un problème avec mon oeil	*I have something wrong with my eye*
elles ont des problèmes de nez	*they have nasal problems*

or **avoir des ennuis avec**

j'ai des ennuis avec mes dents	*I've trouble with my teeth*

or you can say that a bit of you hurts

mon doigt me fait mal	*my finger hurts*
j'ai mal aux pieds/à la gorge	*my feet hurt/I've got a sore throat*
ça me fait mal là/j'ai mal là	*it hurts here*

4   To say how you feel or ask how someone else feels, use **se sentir**

je ne me sens pas très bien	*I don't feel very well*
je me sens malade	*I feel ill*
elles se sentent mieux	*they feel better*

est-ce que vous vous sentez mieux?	*do you feel better?*

and for general enquiries about how things are, use **aller**

ça va?	*how's things?*
vous allez bien?	*are you well?*
ça va mieux?	*are you (they, things, etc) any better?*

Giving and understanding instructions

1 Written instructions often use the infinitive

visser le capuchon à fond	*screw the cap right down*

This means that pronoun objects go in front

le poser sur la racine du nez	*place it on the base of the nose*

and negatives also usually go in front

ne pas se pencher au dehors	*do not lean out (of the train window)*
ne pas avaler	*not to be swallowed (ie external use only)*

2 Otherwise, instructions use the imperative – the **vous** part of the present tense without the **vous**

inspirez	*breathe in*
soufflez	*breathe out*
venez voir	*come and see*

The **tu** form works the same way

passe-moi le sel, s'il te plaît	*please pass me the salt*
dépêche-toi!	*hurry up!*
viens voir	*come and see*

As you can see, the **-er** verbs lose the final **-s**, but this does not affect the pronunciation.

3 If you are giving instructions about how to do something (rather than just telling someone to do it), use the ordinary present tense

vous écartez bien les coudes	*spread your elbows out wide*
tu retournes le flacon au-dessus de ton œil	*up-end the bottle over your eye*
vous prenez le bus jusqu'au centre ville	*take the bus as far as the town centre*

-ing and -*ant*
French words ending in **-ant** are usually the present participles of verbs and correspond to words ending in -*ing* in English.

The present participle is used
i) to indicate that two things are going on at the same time

en soufflant, repliez vos genoux	*while breathing out, bend your knees*

ii) to indicate how something is or was done

vous ouvrez le flacon *en*   *you open the bottle by*
    vissant à fond le   *screwing the cap right*
    capuchon   *down*

Pronoun objects

Pronoun objects are common and you need to be able to use them with ease. One way to get used to the sound and the sequence is to read out loud all the examples you can find.

1 Direct objects

le poisson *me* rend malade   *fish makes me ill*
l'odeur suffit à *me* dégoûter   *the smell is enough to put me off*

je ne *les* influence pas   *I don't try to influence them*
il ne *nous* influence pas   *he doesn't try to influence us*
le poser sur la racine du nez   *rest it on the base of the nose*
tu *m'*as vu?   *did you see me?*

2 Indirect objects

il *me* parle   *he speaks to me*
il *lui* parle   *he speaks to him/her*
il *nous* parle   *he speaks to us*

Many French verbs take an indirect object where the English equivalents don't appear to

il demande à Pierre   *he asks Pierre*
il *lui* demande   *he asks him*
il répond à Pierre   *he answers Pierre*
il *lui* répond   *he answers him*

3 Note the position of pronoun objects in compound tenses

je *l'*ai mangé
il m'*en* avait parlé plusieurs fois

or with an infinitive

j'aimerais bien *y* aller mais ça coûte trop cher
on peut *se* voir demain?
on va *lui* faire une surprise!

In positive commands they come after the verb

ouvrez-*le*   *open it*
suivez-*moi*   *follow me*

Moi and **toi** are used where you'd expect **me** and **te**.

For further details, see Grammar Supplement, p 163.

It's your body

Actions done to your own body (accidentally or deliberately) are usually expressed with a reflexive verb

je me brosse les cheveux

je me lave les dents
le Prince Charles *s'est coupé* le doigt
l'athlète *s'est tordu* la cheville

In such cases the definite article (**le, la, les**) is used, since the reflexive makes it clear who the hair, finger, etc belongs to.

Notice that in text 4, where Gérard is giving instructions to others, most verbs are *not* reflexive. In this case the definite article and the possessive are virtually interchangeable

vous écartez bien *les/vos* coudes
vous abaissez *le/votre* menton
puis vous amenez *le/votre* front vers *les/vos* genoux

DES MOTS ET DES CHOSES

demander

doesn't mean *to demand* (which is **exiger** or **réclamer**) but *to ask (for)*

demandez un horaire   *ask for a timetable*
demandez un horaire à Pierre   *ask Pierre for a timetable*

To ask a question is **poser une question.**

prétendre

means *to claim* rather than *to pretend*. The French meaning exists in English in The Young Pretender (the title given to Bonnie Prince Charlie), ie the young claimant to the throne.

dégoûter

comes from **le goût** – *taste*. It means first of all to take someone's taste for something away, and so to discourage or put them off in some way. It can also mean *to disgust* in the English sense, and **dégoûtant** usually means *disgusting*. The verb **goûter** is *to taste* or *try* something, and the noun **le goûter** is a snack at teatime.

dessus/dessous

It is common for English speakers to confuse the pronunciation of the French **u** and **ou**, and there are many pairs of words where this is the only difference: **vu/vous. tu/tout, bu/bout**. It's usually clear from the context which is meant, though this isn't the case with **dessus/dessous** (*on top/underneath*) and related expressions: **au-dessus/au-dessous** (*above/underneath*); **par-dessus/par-dessous** (*over/under*). So, to avoid confusion, mind your **us** and **ous**!

un rhume

is a cold: **je suis enrhumé** – *I've got a cold*. You can of course take **du rhum** (*rum*) for it, but if it gets worse it could become **la grippe** (*flu*).

un médecin
is a doctor, who practises medicine (**la médecine**) and gives you medicine (**un médicament**). Whether male or female, a **médecin** is addressed as **docteur**, but you can say **je vais voir *ma* docteur** if you have a female doctor.

indications
on a medicine bottle or box tell you what the medicine is supposed to cure. Equally useful are the **contre-indications** – these tell you in which conditions you should *not* take the medicine.

Expressions à retenir

c'est bizarre
par hasard
la plupart (des gens)
c'est pas la peine
ça a l'air
ça y est

EXERCICES

1   Each of these sentences contains at least one object pronoun: re-write each sentence, replacing the pronoun with a suitable noun from the list below.

1   On en commande une?
2   Dévissez-le.
3   J'en buvais tous les jours.
4   Demande-lui d'apporter du poivre.
5   Je peux pas en manger.
6   Pourquoi? Tu les supportes pas?
7   Le médecin lui a prescrit quelque chose.
8   Le professeur Tarragnat est heureux de leur en parler.

une pizza Royale	les anchois	du café
à ses enfants	le capuchon	du yoga
à la serveuse	d'anchois	à Corinne

Now try changing the nouns in your sentences back into pronouns, and you should end up with the original sentences.

2 At your campsite there's a Keep Fit class every morning. The instructor's loud-hailer doesn't work very well and some of the instructions are inaudible. Fill in or complete the missing words.

Bon, d'abord, inspirez, soufflez, inspirez, s.......... Pliez les coudes. All......... les bras, repliez les .... et recommencez. Faites attention de ne pas c......... votre voisin. Répétez l'exercice cinq fois. Bien, reposez-.......... Inspirez, ... Écartez les jambes. Placez le coude droit sur le genou g.........; remontez. Placez le coude .... sur le g......... droit; remontez. R......... le mouvement cinq .... Bien. Re.........-vous. Ins.........., ...

3 The doctor's notes have got confused. Match up the effects with their most likely causes.

1 Elle a perdu sept kilos ...   ... en écoutant du hard rock à fond.

2 Il est devenu sourd ...   ... en coupant du fromage

3 Elle a attrapé une hépatite ...   ... en ne mangeant plus qu'une fois par semaine.

4 Elle s'est coupé le doigt ...   ... en mettant la tête dans son four électrique.

5 Il a essayé de se suicider ...   ... en faisant du ski.

6 Elle s'est cassé la jambe ...   ... en buvant de l'eau non potable.

4 You're in a café with a French friend.

Friend Tu prends quelque chose? Une bière?

You (*Refuse politely and say you don't like beer, and besides you don't feel very well.*)

Friend Tu n'aurais pas dû reprendre de mousse au chocolat au dessert. Ce qu'il te faut, c'est une tisane, un tilleul par exemple.

You (*Ask what a* tisane *is.*)

Friend C'est un peu comme du thé. On fait infuser des plantes dans de l'eau bouillante. En plus, le tilleul, c'est calmant, ça te fera du bien.

You (*Say OK, you'll try it, and ask if* tilleul *is also good for knees.*)

Friend Hein? Quoi?

You (*Explain that you're having trouble with your knees.*)

Friend Qu'est-ce que tu t'es fait aux genoux?

You (*You did some windsurfing and now your knees hurt.*)

Friend Ah, c'est pas grave, ça. Quelques jours de repos et tu sentiras plus rien.

You (*But that's not all – you also have a problem with your right eye.*)

Friend Alors là, tu ferais mieux d'aller voir un médecin.

You (*You've been to the chemist's and he gave you some medicine, but unfortunately you can't open the bottle.*)

Friend Comment ça, t'arrives pas à ouvrir la bouteille?

You (*No, you screwed down the cap and now you can't unscrew it.*)

Friend Donne-moi ça, t'as pas forcé. Oh merde! Je me suis fait mal au doigt ...

QUE FAIRE ?

Découpez cette fiche de premiers soins, et gardez-la affichée dans votre pharmacie.

EN CAS DE CHUTES

Si l'enfant se plaint d'une douleur locale, violente, ne pas le déplacer si vous n'êtes pas secouriste, appeler le médecin.
● Si l'enfant est inconscient, le coucher sur le côté, en chien de fusil, en attendant le médecin appelé d'urgence.
● Si l'enfant a perdu connaissance, le faire examiner le plus tôt possible par un médecin.
● S'il n'a pas perdu connaissance, le surveiller de près dans les jours qui suivent. S'il perd son entrain habituel, s'il paraît abattu, appeler le médecin.

EN CAS DE BLESSURES

Plaie simple: nettoyer à l'eau et au savon de Marseille. Poser un pansement sur la peau sèche.
● Si l'enfant saigne (même) abondamment, appuyer fort et longtemps sur la plaie avec la main (on peut interposer un mouchoir propre), allonger l'enfant à plat dos.
● Si le saignement s'arrête, montrer quand même l'enfant à un médecin pour une éventuelle suture.
● Après trois minutes de compression si l'hémorragie persiste, conduire l'enfant à l'hôpital.

EN CAS DE BRÛLURES

La brûlure est superficielle, de petite dimension, loin des yeux et des orifices naturels, faire comme s'il s'agissait d'une plaie simple.
● La brûlure est grave, elle est profonde, d'une superficie supérieure à une pièce de deux francs, se situe près des yeux ou des orifices naturels, amener directement l'enfant allongé chez le médecin sans toucher à la brûlure.
● Ne pas appliquer de corps gras ni de pommade, ne pas percer les cloques.
● Si les vêtements ont pris feu, envelopper l'enfant dans des couvertures sans le déshabiller.
● Si les vêtements sont imbibés de liquide bouillant, déshabiller l'enfant immédiatement.

---

5 Read the article headed **QUE FAIRE?** about what to do if a child hurts itself. What should you do if a child

1 has fallen and is unconscious?
2 has suffered a serious burn?
3 is bleeding from a wound?
4 What are the things you should *not* do?

6 Listen to the conversation on cassette 1 in which Dr Cambon discusses with Daniel recent trends in smoking **(la tabagie)**.

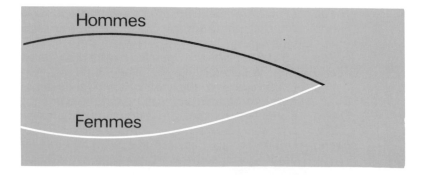

Hommes

Femmes

1 Dr Cambon says there is one encouraging thing and one discouraging thing – what are they?
2 What has happened to the curves **(les courbes)** showing trends in lung cancer in men and women respectively?
3 What encourages tobacco consumption?
4 What is the most alarming trend?
5 Listen again and fill in the gaps in these sentences:
   a Les femmes fument ....
   b Les femmes travaillent ....
   c On ...., on .... ou on ...., c'est une façon d'évacuer l'angoisse.
   d .... quel âge?

4 ALIMENTATION

Asking for information and different ways of forming questions

Making your point clearly by emphasising important words

Would and *could* – the conditional tense

Soupe de légumes

1   Nous voilà de retour à la Thomassine, dans la cuisine cette fois. C'est là que Christian et ses amis cuisinent tous leurs repas à base de légumes, de fruits et de céréales exclusivement. Aujourd'hui, ils ont prévu de faire de la soupe et c'est Patrice qui est chargé de préparer celle-ci.

Christian   Bon, alors, la première pièce là il y a Patrice là, un des cuistots . . .

Daniel   Qu'est-ce que vous faites, Patrice?

Patrice   Je prépare les soupes pour ce soir, les soupes de légumes pour le repas du soir.

Daniel   Qu'est-ce qu'il y a dans vos soupes?

Patrice   Ben, des légumes essentiellement: des poireaux, des carottes, des navets, tout ce qu'on peut trouver dans notre jardin en culture biologique, voilà, et puis de l'eau, des assaisonnements, du gingembre, du sel, du tamaris . . . des choses comme ça.

Daniel   Ça vous prend combien de temps pour préparer de la soupe pour 40 personnes?

Patrice   Oh, c'est difficile à dire parce qu'en général on prépare ça avec
            ... globalement, c'est-à-dire donc avec le repas de midi et les
            autres repas. Mais il faut compter quand même une bonne heure
            avec les pluches, la cuisson, une heure et demie même ... la
            mouliner après, la rectifier ...
Daniel   Qu'est-ce que ça veut dire, rectifier?
Patrice   C'est-à-dire rectifier le ... l'assaisonnement, goûter si c'est assez
            salé, s'il faut y rajouter un petit peu de gingembre ou une pincée
            de poivre ou un peu d'herbes de Provence pour parfumer le tout,
            quoi. Voilà.

un des cuistots	*one of the cooks*
tout ce qu'on peut trouver	*anything you can find*
en culture biologique	*grown organically*
les pluches	*preparation (the peeling) of vegetables*

*   Dans la phrase 'il faut y rajouter', y = ?

*   Trouvez l'équivalent anglais des morceaux de phrase suivants:
      'mais il faut compter une bonne heure'; 's'il faut y rajouter un
      peu de ...'.

2   Pendant que Patrice s'occupe de la soupe pour le dîner, Odile,
        la femme de Christian, fait cuire quelque chose pour le déjeuner.
        Et c'est l'occasion pour nous de découvrir comment les Anglais
        ont pu influencer la cuisine française. Enfin, pas toute la cuisine
        française, ... celle de la Thomassine.

Christian   Bon, on continue. Alors, ici c'est la ... une deuxième pièce qui
             fait partie aussi de la cuisine. Alors là, on rencontre Odile, mon
             épouse, et c'est elle qui supervise (*bonjour*) tout ce qui est
             alimentation à la Thomassine, hein.
Daniel   On pourrait dire diététique?
Christian   Si on veut, mais on préfèrerait dire 'alimentation naturelle,
             normale', hein.
Odile   Parce que la ... la diététique, c'est pour les gens malades. Ici, on
             ... nous sommes tous en bonne santé.
Christian   Grâce justement à ce que nous mangeons!
Daniel   Qu'est-ce que vous êtes en train de faire là?
Odile   Alors, là, je suis en train de faire cuire ce qu'on appelle du
             boulgour.
Daniel   Vous pouvez nous dire comment ça s'écrit?
Odile   Alors: B-O-U-L-G-O-U-R, boulgour. Voilà. Alors le boulgour,
             c'est du blé qui a été précuit et qui est concassé et ensuite séché.
             C'est comme cela qu'il est conservé. Pour le faire cuire, il suffit
             de le mettre dans de l'eau bouillante, et on le laisse gonfler.
Daniel   Boulgour, vous savez d'où ça vient?

Odile C'est d'origine nord africaine.
Daniel Au fond de cette … de cette casserole, il y a quelque chose qui m'a l'air d'être bien appétissant là, qu'est-ce que c'est?
Odile Alors, c'est une sauce, et dedans il y a des raisins secs, des oignons et des algues.
Daniel Ça, c'est un peu bizarre, non?
Odile Ah oui, mais moi j'aime beaucoup. Et cette recette je l'ai découverte en Angleterre parce que j'ai passé neuf mois au pair en Angleterre. Et j'ai gardé cette recette et maintenant je l'utilise beaucoup ici, et tout le monde se régale.

Melon au naturel

tout ce qui est alimentation	*everything to do with food*
comment ça s'écrit?	*how do you spell it?*

* Odile n'aime pas le mot 'diététique': qu'est-ce qu'elle utilise à la place, et pourquoi?

* Couvrez le texte, puis essayez de vous rappeler comment on prépare le boulgour et ce qu'il y a dans la sauce.

3 Patrice s'occupe des soupes, Odile du boulgour: à la Thomassine, chacun participe aux tâches matérielles et on peut voir sur un tableau la liste des habitants de la ferme avec, en face de chaque nom, la tâche attribuée à la personne en question. Ainsi, on peut lire 'Michel – Tisanes'. Qu'est-ce que cela signifie exactement?

Françoise Michel s'occupe des infusions ...
Daniel Vous pouvez nous dire ce que c'est, une infusion?
Françoise Les infusions c'est ... moi je dirais tisanes, c'est-à-dire il cueille des plantes, il les fait infuser dans de l'eau bouillante – et puis il nous sert ça après les repas, et le matin aussi, pour le petit déjeuner.
Daniel Vous n'avez pas de café?
Christian Non, pas de café. C'est ... c'est anti-écologique, et c'est pas très bon pour la santé, hein. Ça vient des ... de très loin. La nourriture écologique, c'est tout à fait autre chose. Ça veut dire qu'il faut mettre le moins d'espace et de temps possible entre ce que la terre produit et ce que la bouche mange. Alors, on fait un liquide noir qui ressemble à du café, qui est savoureux et qui est à base des céréales européennes qu'on produit ici.

---

c'est tout à fait autre chose   *it's something completely different*

---

* **Expliquez ce que c'est qu'une infusion ou une tisane. Quelle est l'infusion la plus connue en Grande Bretagne?**

* **Pour respecter les principes de l'écologie, il faut ...**

* **Pouvez-vous retrouver la phrase où Christian emploie *qui* (sujet) et *que* (objet)?**

4 Les organisateurs de la Thomassine ne sont pas les seuls à recommander l'emploi de produits aussi naturels que possible. Le docteur Cambon croit lui aussi aux bienfaits d'un régime alimentaire équilibré. Malheureusement, comme il le fait remarquer, il est bien difficile de nos jours d'avoir une alimentation parfaitement saine. Car tout le monde n'a pas de jardin biologique.

Dr Cambon   Malheureusement, actuellement, nous ne disposons pas d'aliments de première qualité; pour plusieurs raisons, notamment par le fait que les aliments sont poussés, c'est-à-dire je pense qu'ils poussent trop vite et ils n'ont pas le temps d'assimiler les éléments essentiels. Par ailleurs, il y a tous les produits de traitement qui interviennent dans la qualité de l'aliment, et il peut y avoir un effet de toxicité. Il faut savoir que, dans une pomme, il peut y avoir jusqu'à 18 traitements. Je tiens cela d'un expert. C'est inquiétant, il vaut mieux l'ignorer.

Daniel   Alors on mangera plus de pommes si j'ai bien compris.

Dr Cambon   Si, si, mais au lieu de manger une pomme, il faut en manger quatre (*oui, oui*), c'est-à-dire il faut les peler largement et dénoyauter au maximum. Il y a l'aspect qualitatif donc, dont nous venons de parler, mais il y a aussi l'aspect quantitatif. Les gens se goinfrent moins tout de même. Je pense que les gros repas que l'on faisait autrefois deviennent de plus en plus rares. L'alcool aussi est moins consommé, à tel point que nos viticulteurs commencent à avoir de sérieux problèmes, au moins en ce qui concerne le vin de consommation courante. Je crois que les Anglais commencent à s'intéresser au vin, mais ils nous rendent bien service!

Daniel   Vous êtes médecin, vous connaissez donc les bienfaits et les méfaits d'une bonne alimentation ou d'une mauvaise alimentation. Est-ce que vous vous servez de vos connaissances pour manger sainement?

Dr Cambon	Du fait que je suis médecin, je peux dire aux gens: 'Faites ce que je dis, ne faites pas ce que je fais,' hein. Tout de même, en ce qui concerne la viande, nous en consommons raisonnablement, je crois. L'alcool, je n'en consomme absolument pas. Maman en consomme un petit peu plus, elle; il lui faut ses deux verres de vin par jour. Et en cela, son intuition a rejoint les statistiques américaines qui viennent de montrer que deux verres de vin par jour donnent dix ans de plus de vie. (*À sa mère*) Alors, tu vois, tu es tout à fait dans la ligne ... mode!

il peut y avoir ...	*there can be ...*
il vaut mieux l'ignorer	*it's better not to know*
maman	= la mère du docteur
tu es tout à fait dans la ligne	*you're right up with the trend*

*   Pourquoi est-ce qu'il faut manger quatre pommes au lieu d'une?

*   Pourquoi est-ce que les Anglais rendent service aux Français, selon le Dr Cambon?

*   Trouvez la maxime citée par le docteur et qui contient l'expression *ce que*.

5   Sans doute les habitants de la Thomassine n'approuveraient-ils pas ce qui va suivre. Mais manger sain n'est pas tout. Il faut aussi bien manger. Pourquoi ne pas essayer cette recette de bœuf bourguignon qui nous a été donnée par des gastronomes lyonnais? Et surtout, n'oubliez pas le jeu de boules, car c'est un ingrédient indispensable à la réussite de la recette!

Daniel	Vous faites très bien la cuisine, nous a-t-on dit, surtout un bœuf bourguignon. Vous pouvez nous donner la recette?
Dame	Vous préférez pas emmener les restes?
Daniel	Ah ben, on pourrait, mais on aimerait bien aussi avoir un peu la recette, ça serait pas mal.
Dame	Alors, vous prenez du bœuf, vous le faites revenir avec les petits oignons ...
Daniel	Pourquoi, il était parti?! (*Rires*)
Dame	Vous rajoutez du vin rouge, et puis des carottes; et puis vous allez jouer aux boules pendant que ça cuit; et quand vous avez

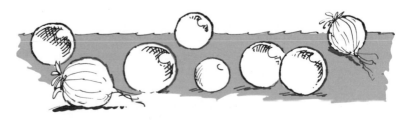

perdu aux boules vous revenez, et le bœuf bourguignon est
extra!

Daniel Mais alors là il faudrait peut-être préciser, c'est la pétanque ou
la lyonnaise?

Dame Nous sommes des Lyonnais mais nous jouons à la pétanque.

Daniel Et la recette n'est pas du tout altérée par ce changement de jeu
de boules?

Dame Ah, je pense pas!

ce serait pas mal	*that would be good*
il était parti	*Daniel's making a joke out of the two meanings of* faire revenir: *to bring back, to brown*
alors là il faudrait peut-être préciser	*on that point perhaps we should get things clear*
la pétanque ou la lyonnaise	*two different versions of the game of* boules

* **Pour réussir le bœuf bourguignon, est-il important de gagner la
partie de boules?**

LE POURQUOI ET LE COMMENT

Asking for information

There are several ways of forming questions

1   Turn the verb and subject round, if the subject is a pronoun

   quand *faites-vous* la soupe?
   où *allez-vous*?

   People tend to use this form less and less frequently when
   speaking.

2   Use **est-ce que** followed by the normal sentence order of subject,
   then verb, etc

   ***est-ce que vous faites* du tir à l'arc?**
   quand *est-ce que vous faites* la soupe?
   où *est-ce que vous allez*?

3   Add the question word if there is one to the end of the sentence

   vous faites la soupe *quand*?

4   Probably the most common conversational form is just to make
   your voice rise at the end of the sentence

   vous faites de la planche à voile?

5   When you think you already know the answer, add **non** to your question

vous êtes lyonnais, non?

Non here has the same function as **n'est-ce pas?**.

6   Some useful questions with **qu'est-ce qui/que/qu'**

qu'est-ce qui se passe?	*what's going on?*
qu'est-ce qu'il y a?	*what's the matter?*
qu'est-ce que vous avez?	*what's the matter with you?*
qu'est-ce qu'elle a?	*what's the matter with her?*

Making your point

1   Put the word you want to emphasise at the beginning of the sentence and continue with **c'est**

le boulgour, c'est du blé
la nourriture écologique, c'est tout à fait autre chose
Patrice, c'est un des cuistots

You'll also hear this kind of sentence with the noun at the end

c'est bon pour la santé, le boulgour

2   The idea you want to emphasise can be picked up again with a pronoun

cette recette je *l'ai découverte en Angleterre*
Maman en consomme un petit peu plus, *elle*

3   This doubling-up of noun and pronoun is very frequent in French to make things clear

Odile, elle travaille dans la cuisine
on *la* prépare, deux heures avant, *la soupe*

4   To emphasise one thing as opposed to another, use **c'est** ... **qui/que** ...

c'est Pierre *qui* part demain	Pierre's *leaving tomorrow* (*not someone else*)
c'est demain *que* Pierre s'en va	Pierre's *leaving* tomorrow (*not today*)
c'est elle *qui* supervise tout	*she's the one who supervises everything*

Note: if the word following **c'est** is a pronoun, use one from the set

moi	toi	lui/elle
nous	vous	eux/elles

5   There are other words and phrases you can use to highlight what you are saying. Here are a few used by Dr Cambon

notamment	*particularly*
en ce qui concerne X	*as far as X is concerned*
il faut savoir que ...	*you have to be aware that ...*

Would and could

1 For *would*, use the conditional tense

je *préfèrerais* dire ...	*I'd rather say ...*
ce *serait* pas mal	*that would be nice*
donc, ce *serait* pas avec lui	*it wouldn't be with him then*

2 For *could*, when it means *would be able*, use the conditional tense of **pouvoir**

on *pourrait* mais on aimerait bien avoir la recette	*we could but we would like to have the recipe*

Note: be careful with *could*, as it can also refer to the past, eg *I couldn't come yesterday* – the meaning here is *I wasn't able to* (**je n'ai pas pu** or **je ne pouvais pas**).

3 The conditional tense of **pouvoir** and **vouloir** is often used to make polite requests

je *pourrais* vous demander la recette?	*could I ask you for the recipe?*
est-ce que je *pourrais* parler au directeur?	*could I speak to the manager?*
voudriez-vous me passer le sel?	*would you mind passing me the salt?*

(For the formation of the conditional tense, see p 158)

Du pain, du vin, je suis bien

Du, de la, de l', des, usually convey the idea of *some* or *any*. They're compulsory in French, even though we often leave out the English equivalent

il y a des œufs dans le frigo	*there are (some) eggs in the fridge*
du pain, du vin, je suis bien	*bread, wine, and I'm fine*

To become familiar with the use of these words, try reading out loud sentences that include them. A good example is this recipe for soup:

Qu'est-ce qu'il y a dans la soupe?
Ben, des légumes essentiellement, des poireaux, des carottes, des navets ... et puis de l'eau, des assaisonnements, du gingembre, du sel, du tamaris ... On rajoute un petit peu de gingembre ou une pincée de poivre ou un peu d'herbes de Provence pour parfumer le tout.

DES MOTS ET DES CHOSES

parfum

as well as *perfume* means *taste* or *flavour*. If you ask the ice-cream seller for **une glace, s'il vous plaît,** s/he will probably come back with **quel parfum?**. Patrice puts a few herbs in the soup **pour parfumer le tout** – *to give it all a taste.*

en train de

French does not usually distinguish between *I eat* and *I am eating, he works* and *he is working,* etc. **Nous jouons aux boules** means *we play boules* or *we are playing boules,* according to context. Consequently the French use **en train de** if they really want to insist on the idea that something is in the process of going on. So Daniel asks Odile: **qu'est-ce que vous êtes en train de faire?** – *what are you (in the process of) doing?*.

pousser

can mean *to push* in most ordinary English senses – in appropriate places doors are marked **Poussez** or **Tirez.** But **pousser** also means *to grow* – of plants, beards, hair and teeth. So *to grow a beard* would be **se laisser pousser la barbe.** *To grow roses* would be **faire pousser** (or simply **cultiver**) **des roses.**

ignorer

= **ne pas savoir** – *not to know,* in other words *to be ignorant of.* It very rarely means *to ignore,* which can have different translations according to context, eg *she ignored her brother* – **elle a fait semblant de ne pas reconnaître/voir son frère.**

revenir

The normal meaning is *to come back*: **il revient à Gréoux** – *he's coming back to Gréoux.* However, **faire revenir** has a special meaning in cookery where it means *to brown,* as you might do with onions. It is because of this double meaning that Daniel was able to make an old but well-respected joke in the conversation about the **bœuf bourguignon.**

altérer

means *to alter* but always for the worse – hence *to spoil.* Otherwise use **changer** or **transformer.**

Expressions à retenir

ça vous prend combien de temps?
grâce à ...
comment ça s'écrit?
il suffit de ...
il ressemble à ...
il vaut mieux ...
en ce qui concerne ...

EXERCICES

1   Fill in the gaps in this paragraph:

Pour faire une bonne soupe, il faut ...... légumes, ... herbes, ... sel, ... poivre, ... eau et ...... temps.
Et ...... viande?
Oui, vous pouvez ...... mettre un peu, si vous voulez.

2   Construct as many sentences as you can, using one expression from each column each time.

Faites		c'est, une infusion?
Je ne sais pas		vous voulez.
Regardez	ce qui	notre jardin produit.
Vous pouvez nous dire	ce qu'	se passe.
Nous avons tout	ce que	je fais.
On mange		on peut.
On fait		

3   Work out how you would ask these questions and then decide which would fit in each balloon.

1 How many eggs do you need?
2 How do you spell it?
3 That's a bit dangerous, isn't it?
4 Could you tell me how long it takes to get to Triffouillis-les-Chaussettes?
5 What's going on?

a

b

c

d

e

4   How would you alter each of these sentences to emphasise the words in italics? (See p 63)

     1   À la Thomassine, on ne boit pas de *café*.
     2   *La culture biologique* est de plus en plus répandue de nos jours.
     3   *Christian* aime bien la vie à la campagne. Christophe préfère la mer.
     4   *Patrice* prépare la soupe tous les jours.
     5   *J'adore* la soupe aux algues!
     6   Nous prenons *le train de dix heures*.

5   You're discussing the pros and cons of the local beach.

Friend   J'ai envie de me baigner, pas toi? On pourrait aller à la plage de la Jetée.

You   (*But it's very close to the port, isn't it?*)

Friend   Bah, ne t'inquiète pas. J'y suis déjà allé et c'est pas pollué du tout.

You   (*Say I don't know about that. And what about the nuclear power station?*)

Friend   Écoute! La centrale nucléaire est à dix kilomètres. Y a vraiment aucun danger. Je t'assure qu'à la Jetée, la plage est très propre. Je m'y baigne tous les matins.

You   (*Yes, but she was ill all last winter, wasn't she?*)

Friend   C'était pas une histoire de microbe, c'était parce que je fume trop. Non, je t'assure, y a vraiment rien à craindre. Et, en plus, on mange très bien là-bas.

You   (*Is there a restaurant there?*)

Friend   Oui, oui, dans le vieux port, il y a deux petits restaurants où on bouffe des huîtres sensas.

You   (*Unfortunately you're allergic to oysters. You ate some once and you came out in red blotches.*)

Friend   Oh, c'est bizarre, ça. J'ai lu dans un article qu'il y a très peu de gens qui sont vraiment allergiques aux huîtres. Tu as dû avoir une poussée d'acné. De toute façon, tu pourras toujours commander un steak-frites. Va chercher ton maillot. Je t'attends.

6 You have just been reading this exotic-looking recipe in the paper when a French friend rings you up. Answer her questions.

LA RECETTE

Figues fraîches et poulet grillé au sésame

Pour 4 personnes: 4 escalopes de poulet, 12 figues, 15 g de beurre, 4 cuillères à soupe de graines de sésame, 2 cuillères à soupe d'huile d'arachide, 1/2 citron, sel, poivre. Marinade: 1 yaourt, 1 citron, 1 cuillère à soupe de moutarde, sel, poivre.

Faites mariner les escalopes dans la sauce au yaourt pendant une demi-heure puis, après les avoir égouttées, frottez-les avec le jus d'un 1/2 citron. Entaillez les bords de la viande pour qu'elle ne se rétracte pas à la cuisson. Faites chauffer l'huile dans une poêle, mettez-y les escalopes à dorer 2 mn de chaque côté (elles finiront de cuire sous le gril); salez et poivrez. Saupoudrez 1/2 cuillère à soupe de graines de sésame sur une face des escalopes. Mettez sous le gril pendant 4 mn. Procédez de même pour l'autre face.

Pendant ce temps, essuyez les figues avec un linge humide. Ouvrez-les en fleurs et chauffez-les 3 mn à la poêle dans le beurre fondu. On peut accompagner les figues de cubes d'ananas, de pomme ou de mangue légèrement citronnés. Servez aussitôt.

Friend	T'as vu la recette dans *Le Provençal* d'aujourd'hui?
You	(*Tell her that you have read it.*)
Friend	Écoute, j'ai renversé mon café sur le journal et il me manque la moitié de la recette. Tu peux me la redonner? Les ingrédients d'abord.
You	
Friend	OK, et qu'est-ce qu'il faut pour la marinade?
You	
Friend	Il faut faire mariner les escalopes pendant combien de temps déjà?
You	
Friend	Et le demi-citron alors, c'est aussi pour la marinade?
You	
Friend	Je ne vois pas très bien ce qu'on fait avec les graines de sésame.
You	
Friend	Maintenant les figues, qu'est-ce qu'on en fait? On les sert crues?
You	
Friend	Parfait! J'ai tout noté. Écoute, je te remercie. Ça a l'air très bon. Justement, j'ai des amis qui viennent dîner ce soir. Je crois que je vais leur faire ça.

7 Listen to M Pessiot talking on cassette 1. He is the proprietor of
Le P'tit Normand, a detailed consumers' guide to the Rouen
area. It has a particularly helpful section on eating out, and
M Pessiot talks about the changes that have taken place in
restaurants over the past few years.

1 What changes have taken place in the restaurants themselves?
2 And what about changes in cooking styles?
3 How do restaurant prices in Normandy compare with those in
   other parts of France?
4 What tends to happen to restaurants after they've been
   included in prestigious guides?

HISTOIRES VRAIES

Telling the story of what happened, or what you've been doing by using the perfect, imperfect and pluperfect tenses

1 Aujourd'hui, quand on se rencontre entre amis, on ne se raconte plus des histoires de sorcières, de princes charmants ou d'animaux imaginaires. On parle de choses qui vous sont arrivées ... ce jour-là ou dans le passé. C'est ce qu'a fait Sabine lorsqu'elle a raconté à Danielle comment elle avait, tout à fait par hasard, trouvé un travail de documentaliste à l'École d'Architecture de Rouen.

Danielle　Sabine, t'es documentaliste à l'École d'Architecture. Ça fait combien de temps?

Sabine　Que je suis documentaliste? (*Oui*) Ça fait ... ça va faire cinq ans.

Danielle　Et tu l'as eu comment, ce boulot?

Sabine　Beh, je l'ai eu comment: d'abord j'ai fait des études pour être documentaliste, donc je suis arrivée à Rouen avec des diplômes dans mes valises; et puis il fallait que je trouve le travail, et ça c'est assez amusant, la manière dont j'ai trouvé le travail. C'était ... c'était un dimanche, il pleuvait à Rouen et je me suis dit: 'Tiens! Je vais aller au cinéma'. Mais pour aller au cinéma, il faut avoir les programmes, les programmes de ... des films. Alors, je suis sortie dans la ville et puis j'ai cherché un tabac ouvert pour acheter le journal; et sur ma route, il y a un tabac qui était ouvert, et c'était le dernier journal local, le *Paris Normandie*, que j'y ai trouvé, et j'ai acheté le journal; et quand je suis rentrée chez moi, j'ai fait quelque chose que je ne fais jamais: au lieu d'ouvrir le journal à la page des cinémas, je l'ai ouvert à la page des petites annonces; et il y avait une petite annonce qui était ... qui demandait ... c'était indiqué: 'École d'Architecture de Rouen recherche documentaliste, trois ans d'expérience professionnelle, diplôme de documentation plus maîtrise', et c'était tout à fait le profil que j'avais! Alors, j'ai plus du tout pensé au cinéma, j'ai sorti une feuille de papier, mon stylo, j'ai fait mon curriculum vitae, et puis le lundi matin, à la première heure, je suis allée le poster.

Danielle	Et tu travaillais déjà, à ce moment-là?
Sabine	À ce moment-là, je travaillais déjà mais je donnais des cours d'anglais dans une ... dans une école de radio-électricité à Rouen; et c'était un travail qui était très très mal payé, je m'y plaisais pas du tout et je me suis dit: 'Tiens, je vais refaire de la documentation.'
Danielle	Alors?
Sabine	Et donc j'ai envoyé ce curriculum vitae le lundi matin, et 15 jours après j'avais une interview avec le directeur de l'École d'Architecture, qui m'a dit: 'Qu'est-ce qui vous motive? Est-ce que ce boulot vous plairait?' Alors, je lui ai raconté un petit peu toutes mes salades, et puis surtout je lui ai dit: 'Écoutez, monsieur, moi ce travail, je l'ai trouvé pratiquement, je l'ai trouvé un dimanche pluvieux dans les petites annonces du seul *Paris Normandie* que j'aie trouvé, vous pouvez pas me le refuser!'.

Danielle   Donc il te le fallait.
Sabine   Donc il me le fallait absolument, et 15 jours après j'ai eu la réponse positive! Et j'ai eu le travail à l'École d'Architecture!
Danielle   Voilà. Et tu y es encore.
Sabine   Et j'y suis encore.

documentaliste	*something between a librarian and a media resources officer*
ce boulot	*this job*
plus maîtrise	*with an MA as well*
j'aie trouvé	*subjunctive – means the same as* j'ai trouvé
toutes mes salades	*my whole story*
il te le fallait	*you had to have it*
je m'y plaisais pas du tout	*I didn't like it there at all (at the* école de radio-électricité*)*

❋   Pourquoi est-ce que Sabine a acheté le journal?

❋   Pourquoi est-ce qu'elle cherchait un travail?

❋   Faites une liste de toutes les choses qu'elle a faites dans la section qui commence à 'je suis sortie dans la ville' et qui finit à 'je suis allée le poster'.

2   Parfois, la réalité dépasse la fiction. Surtout lorsqu'on s'appelle Monsieur Tarragnat et que l'on pratique le yoga et la télépathie. Si vos amis partent sans laisser d'adresse, l'histoire du Professeur Tarragnat devrait vous permettre d'entrer en communication avec eux, même s'ils se trouvent à l'autre bout du monde!

Prof Tarragnat   À l'époque, j'habitais à Toulouse et j'avais un ami qui habitait, lui, à Alger. Lorsqu'il était venu me voir aux vacances d'été, il m'avait dit: 'Je vais déménager, donc mon adresse ne sera plus valable, à la rentrée je déménage mais je vais t'écrire et . . . donc, dès que j'aurai déménagé, je vais t'écrire, et tu auras mon adresse.' Et puis il est parti, et je n'ai pas eu de nouvelles, pendant six mois je n'ai pas eu de nouvelles. Et un beau jour, je me suis dit: 'Tiens! J'ai reçu une méthode pour pratiquer la télépathie' – on doit faire cela avec un ami et j'ai pensé à cet ami que . . . avec qui j'étais assez lié et je me suis dit: 'Pourquoi pas avec lui? Alors, lui, il possède mon adresse, c'est donc une expérience qui peut très bien convenir. Moi, je n'ai pas son adresse, je peux pas lui écrire, mais est-ce que je ne peux pas lui demander à lui de m'écrire?' Voilà ce que j'ai pensé d'abord. Et alors, je me suis mis simplement en méditation ou en état de concentration, disons, et puis j'ai pensé à cet ami, je l'ai imaginé, je l'ai visualisé, et je lui ai parlé à distance, c'est-à-dire intérieurement, en lui disant: 'Voilà six mois que tu es parti en promettant de m'écrire, tu ne l'as pas fait, mais enfin qu'est-ce qui se passe?' Voilà un peu le genre de message que je lui ai envoyé. Et j'ai ... et j'ai pensé très fort à lui. Et trois jours après, j'ai reçu une lettre qui était partie du jour même où j'avais fait l'expérience, elle était partie d'Alger, et il me disait sur ce petit mot – c'était même pas une lettre, c'était une carte: 'D'accord, mon vieux, je vais t'écrire. Excuse-moi de ne pas avoir écrit jusqu'à présent, je vais t'écrire une longue lettre. En attendant, sache que tout va bien', et cetera. Et il oubliait encore dans ce mot de me donner sa nouvelle adresse que j'ai jamais eue parce que la longue lettre dont il m'a parlé n'est jamais revenue non plus. J'ai seulement eu ce petit mot qui m'a prouvé quand même que la pensée pouvait être transmise à distance.

une expérience	*an experiment*
sache que	*I want you to know that*

* Pourquoi est-ce que le Professeur Tarragnat n'a pas écrit à son ami au lieu d'utiliser la télépathie?

* Pourquoi est-ce que, même après la réussite de son expérience, il n'a pas pu écrire à son ami?

La gare de Rouen

3 Danielle part bientôt en vacances. Elle a l'intention de descendre dans les Cévennes. Et, plutôt que de faire tout le trajet en voiture, elle préfèrerait prendre le train et mettre sa voiture dans le train. Elle s'est donc renseignée auprès de la SNCF. Mais il vaut mieux s'armer de patience quand on essaie d'obtenir des renseignements, surtout par téléphone.

S.N.C.F. GARE DE ROUEN-DROITE	
(Voyageurs)	
—information voyageurs	—agence commerciale marchandises B
pl Tissot.......................... (35)98.50.50	même adresse .... (35)70.60.00
—réservation des places	—centre comptable
même adresse .... (35)70.16.34	même adresse .... (35)71.50.99
même adresse .... (35)70.25.28	—circonscription d'exploitation
—bureau de tourisme agence de	même adresse .... (35)70.99.47
voyages	—inspecteur main d'œuvre et transport
même adresse .... (35)70.27.06	même adresse .... (35)71.62.56
—assistants commerciaux voyageurs	—circonscription des trains
même adresse .... (35)98.37.77	même adresse .... (35)70.14.13
—bagages consignes colis express	—section équipement rive-droite
même adresse .... (35)98.34.43	même adresse .... (35)71.11.61
—agence commerciale marchandises A	—groupe électrification
même adresse .... (35)71.54.95	même adresse .... (35)70.13.85

Danielle	Tu sais que je descends dans les Cévennes *(en août)* le 1er août, oui, et je me suis dit c'est tellement long, c'est tellement fastidieux de descendre en voiture, que il y a une solution, c'est de mettre sa voiture dans le train, enfin soi-même et sa voiture dans le train; et ce matin, j'ai téléphoné à la gare pour essayer de réserver une place pour moi et ma voiture. C'était incroyable! D'abord j'ai appelé la gare, donc –
Sabine	À Rouen?
Danielle	Oui, et j'ai dit: 'Passez-moi le service, je veux mettre ma voiture et moi-même dans le train.' Alors, on m'a passé un premier service et c'était pas le bon, c'était la Location de Voitures; alors, eux, ils pouvaient pas rappeler le standard, donc j'ai dû raccrocher et j'ai dû refaire le numéro, et j'ai dit: 'Vous m'avez mal renseignée, je veux mettre ma voiture et moi-même ...' 'Ah, d'accord, alors il vous faut le service complet.' Ça s'appelle le service complet – je croyais que j'avais mal entendu mais ... Alors elle m'a passé le service complet. Alors là, il m'a fallu attendre, il y avait de la musique, bien sûr, j'ai attendu très longtemps, et après c'était pas le bon service. Elle s'était trompée, il me fallait pas le service complet. Alors j'ai raccroché, j'ai rappelé le numéro qu'ils m'avaient donné. Là, il y avait pas de musique, mais j'ai attendu longtemps. On te dit: 'Veuillez patienter' – pong! Alors, au bout de très longtemps – attends, ça c'était le quatrième, cinquième ... enfin, au bout du cinquième coup de téléphone, j'ai eu le bon service, et le type m'a dit: 'Êtes-vous sûre que vous voulez aller à Avignon?' – j'avais dit Avignon. Alors j'ai dit: 'Ben non, mais je pense que c'est Avignon le plus près d'Alès, c'est là où je veux aller.' Il m'a dit: 'Oui, mais je voudrais être sûr que vous savez bien ce que vous voulez parce que moi, je ne peux pas vous renseigner, je peux seulement faire les réservations.' Alors j'ai rappelé les Renseignements, et il y a un type charmant qui m'a renseignée. J'ai eu raison de l'appeler parce que j'ai appris que c'était 1100 francs, rien que pour la voiture –
Sabine	Oh, dis donc, elle coûte cher la voiture, hein?
Danielle	Oui, Paris–Avignon, 1100 francs, plus mon billet à moi, plus les couchettes; et que il faut apporter la voiture tôt le matin à Bercy, près de la gare de Lyon, entre six heures et huit heures du matin. Donc, voilà, je réfléchis, mais enfin en six ou sept coups de téléphone, j'ai quand même eu tous les renseignements que je voulais.
Sabine	Ah, bravo! *(Rires)* Ben, Danielle alors, qu'est-ce que tu vas faire? Tu le prends ce train ou pas?
Danielle	Ben, en fait j'ai ... j'y ai pensé toute la matinée, j'ai une idée géniale: je vais prendre le train mais je vais pas prendre ma voiture.
Sabine	Ah ben, voilà, et tu en loues une sur place.
Danielle	Non, en fait, parce qu'on descend ... on est cinq ou six adultes, il y aura peut-être trois ou quatre voitures.
Sabine	Donc ça suffit.
Danielle	C'est formidable parce que d'abord je pensais y aller en voiture *(d'accord)*, ensuite je pensais mettre ma voiture dans le train, et

	maintenant je veux prendre le train sans voiture.
Sabine	Donc il est pas du tout question de service complet!
Danielle	Non! *(Rires)* Ah, c'est bien le train!

c'était pas le bon	*it wasn't the right one*
veuillez patienter	*please hold on*
j'ai eu raison de l'appeler	*I was right to ring him*
rien que pour la voiture	*for the car alone*
je réfléchis	*I'm thinking about it*

* Faites une liste de tous les mots qui ont un rapport avec le téléphone.

* Pourquoi Danielle décide-t-elle finalement de ne pas prendre sa voiture?

LE POURQUOI ET LE COMMENT

Telling the story

1 To say what happened first and then what happened next, use the *perfect tense*

je me suis dit 'Tiens!'
je suis sortie
j'ai cherché un tabac
j'ai acheté un journal

2 To say what was going on meanwhile, use the *imperfect tense*

il y avait de la musique
'rappelle-toi, Barbara, il pleuvait sur Brest, ce jour-là'

3 To say what the situation, the state of things, was at the time, use the *imperfect tense*

c'était pas le bon service
à l'époque j'habitais à Toulouse

4 To say what had happened before, use the *pluperfect tense*

il était venu me voir
il m'avait dit 'Je vais déménager'

Past tense notes

1 The past participles of verbs taking **être** agree with the subject just as if they were adjectives. Sabine says **je suis sortie, je suis rentrée, je suis allée**.

This makes a difference to the pronunciation only if the **e** is added to a consonant. In Chapter 1 Mme Poulin says **je me suis inscrite** au tennis. In **inscrit** the **t** is silent, but when you add **e** to make **inscrite** the **t** is pronounced.

2   The past participles of verbs that take **avoir** agree only with a direct object that comes earlier in the sentence. This most frequently happens with the direct object pronouns **me, te, le, la, nous, vous, les**; and with the relative pronoun **que** (*whom/which/that*)

j'ai fini ma lettre et je *l*'ai posté**e**   (l' = la = lettre)
il n'a pas reçu la lettre *que*   (que = la lettre)
    j'avais envoyé**e**
je ne retrouve pas les disques   (qu' = les disques)
    qu'elle m'a prêté**s**

In speech, the agreement is noticeable only when the past participle ends in **s** or **t** and making it feminine produces a different pronunciation

cette recette, je *l*'ai découvert**e**   (l' = la = la recette)
    en Angleterre

Even then, if the following word begins with a vowel, there's often no distinction. For example, **mis** and **mise** both sound like **mise** in

son vin, il l'a *mis en* bouteille hier
sa bière, il l'a *mise en* bouteille hier

3   Reflexive verbs are a hybrid. They form the perfect with the verb **être** but the agreement of the past participle follows the rules for **avoir** verbs – that is it agrees with a *direct* object that comes *before* the verb. This leads to some expressions that might look curious but are perfectly logical.

Danielle says: **je me suis trompée**

The past participle agrees with the *direct* object **me**.

Sabine says: **je me suis dit 'Tiens!'**

Here **me** is an *indirect* object (*I said to myself*) and so the past participle does not agree with it.

4   **Sortir, entrer, monter, descendre,** meaning *to go out/in/up/down*, take **être** in the perfect tense. But they can also mean *to take something out/in/up/down*, and then they behave like any other **avoir** verb. Sabine says **j'ai sorti une feuille de papier** – *I took out a sheet of paper.*

He did't do it, *I* did!
It should be remembered that in English we use intonation to emphasise words; in French frequently pronouns are used. We pointed out some ways of doing this in Chapter 4 (p 63)

ce n'est pas *lui* qui a fait ça,   he *didn't* do it, I *did*
    c'est *moi*

lui, il possède mon adresse	he *has my address*
moi, je n'ai pas son adresse	I *haven't his address*
eux, ils pouvaient pas rappeler le standard	they *couldn't get back to the switchboard*

These pronouns can also be used after **à** to emphasise possession

mon billet *à moi*	my *ticket*

The full list is

moi	toi	lui/elle
nous	vous	eux/elles

These are the only pronouns you can use after a preposition

pourquoi pas avec lui?	*why not with him?*
j'ai pensé très fort à lui	*I thought very hard about him*

And they are the only personal pronouns that can stand alone, as in the magazine title, *Elle.*

Keeping track of *lui*
Lui is used in two different ways .

1 It is used for emphasis and after prepositions, when it means *he/him.*

2 It is an indirect object coming before a verb and then it generally means *to him/to her* (see p 163)

je ne peux pas lui écrire	*I cannot write to him*

Professor Tarragnat uses **lui** frequently – read through his story for examples.

Adding details

Dont
Dont is used instead of **de** + **qui/lequel**

la lettre dont il m'a parlé n'est jamais venue	*the letter about which he spoke never came*

NB: In English we'd normally say *the letter he told me about never came,* leaving out the *which* altogether.

DES MOTS ET DES CHOSES

une expérience
is both *an experience* and *an experiment,* so if your French scientist friend seems to be having an interesting life full of **expériences,** s/he may be talking about *experiments.* Similarly, **expérimenté** can mean *experienced* as well as *experimented.*

une interview
is an interesting case of a double export. It started off as the French **une entrevue** and was borrowed into English, given an English spelling, and eventually borrowed back by the French.

un mot

means *a word* but can also mean *a short written note* – **je lui ai écrit un petit mot. Un bon mot** is *a witty remark.* You can *have words* in French as well as in English – **François et Laurent ont eu des mots.**

fastidieux

is not *fastidious*, but *tedious*.

location

This does not mean *location*, but is the word used for hiring or renting something. In a big station or airport you might see **Location de Voitures** – Car Hire Service, *To hire/rent* is **louer.**

le boulot

is a common and widely accepted slang word for *work* or *job*, and **bosser** is slang for *to work*.

une place

The word has many meanings but rarely means *place* in the English sense. It can mean *a public square, a job, a seat* in a theatre, train, etc.

veuillez

is the imperative form of **vouloir** and is used only in very formal or official requests: **veuillez accepter nos condoléances** – *please accept our condolences.* **Veuillez agréer, Monsieur, l'expression de mes sentiments les meilleurs** at the end of a letter is the equivalent of *yours sincerely.*

bon

as well as meaning *good* in a general sense, can also mean *right* in the sense of *correct*: **le bon numéro** – *the right number.* **Mauvais,** the opposite of **bon,** can therefore also mean *wrong*: **il a pris le mauvais chemin** – *he took the wrong road.*

histoire

L'histoire means *history* or *story* (fact or fiction!). **Histoire** also crops up with slightly different meanings in phrases such as: **raconter des histoires** – *to tell stories,* ie *lies*; **faire toute une histoire** – *to make a big fuss*; **c'est toute une histoire** – *it's quite a business.*

Expressions à retenir

au lieu de ...
à ce moment-là
je m'y plais (bien)
à l'époque
qu'est-ce qui se passe?
un coup de téléphone
toute la matinée
se renseigner auprès de ...

EXERCICES

1   Put a suitable pronoun in the gaps in these sentences.

     1 Je connais bien M Martin; Sabine travaille pour ....

     2 Danielle voit souvent ses amis; cet été, elle va en Provence avec ....

     3 Vous connaissez Mme Deshayes? – Bien sûr, j'habite en face de chez ....

     4 Son petit frère est odieux; c'est à cause de .... que Sabine est tombée.

     5 Sophie et Nathalie sont enchantées. Mme Chupin est arrivée chargée de cadeaux pour ....

     6 Sabine habite à Rouen mais Georges, ..., habite à Lyon.

     7 Danielle y va en train, ses amis, ..., y vont en voiture.

     8 Elle, ... avait mon adresse mais je n'avais pas la sienne.

2 Read Sabine's story and find the words and phrases for which these are the definitions

1 La pluie tombait.
2 On peut y acheter des journaux.
3 Le contraire de *rien*.
4 Le contraire de *toujours*.
5 On écrit avec.
6 Si vous ne gagnez pas assez d'argent dans votre travail, vous êtes ....
7 Je n'aimais pas l'endroit où je travaillais.
8 J'en avais vraiment besoin.

3 Read Danielle's story about trying to get her car on the train and find the French expressions which correspond to the following

1 It was incredible.
2 I had to dial again.
3 You need the **service complet.**
4 It's called **le service complet.**
5 I had to wait.
6 I waited a very long time.
7 I was right to call him.
8 You have to take the car in early in the morning.
9 I've been thinking about it all morning.
10 I have a brilliant idea.

4 You've just been away for the weekend to visit some friends, and when you get back to your flat the concierge shows her usual interest in your comings and goings.

Concierge Alors, ça s'est bien passé, la visite chez vos amis?
You (*It's quite a story. You were going to get the train but you got the wrong platform. When you found the right one the train had already gone.*)
Concierge Il y en avait pas d'autre?
You (*No, it was the last one.*)
Concierge Qu'est-ce que vous avez fait alors? Vous avez pris le car?
You (*You asked in the Information Office but there wasn't a bus before seven in the evening.*)
Concierge Vous n'avez pas attendu tout ce temps-là, quand même!
You (*No, you decided to hire a car. At the Information Office they gave you a telephone number.*)
Concierge Très bien. Et vous avez trouvé une voiture tout de suite?
You (*No. You dialled the number, but there was no reply. You hung up and dialled again – this time someone answered and said the doctor was on holiday.*)
Concierge C'était pas le bon numéro, alors!
You (*No, but finally you got the right number, and a very nice young man said that all he had left was an old 2CV.*)
Concierge Non, vous n'allez pas me dire qu'après tout ça vous êtes tombé(e) en panne!
You (*Yes! You did 30 kilometres and then the car stopped.*)

Concierge	Oh non, c'est pas de chance, ça alors!
You	(*Fortunately, it happened in front of a farm. The farmer was very nice, and he took you to your friends' house on his tractor.*)
Concierge	Tout est bien qui finit bien, alors.

5　Read this news item and answer the questions.

Il abat son voleur

Déjà cambriolé plusieurs fois

Un cambrioleur qui tentait de dérober une moto dans un magasin d'Auxerre (Yonne) a été mortellement blessé hier matin par le propriétaire des lieux. Les faits se sont produits vers 3 h, dans le magasin Auto-Mécanic Auxerroise de M. Jean Gary.

Le commerçant qui, déjà cambriolé, couchait parfois sur place, a été réveillé par le bris de sa vitrine, et s'est trouvé face à un cambrioleur occupé à sortir une moto du magasin.

M. Gary affirme avoir tiré d'abord une balle de sommation au ras du sol en direction du malfaiteur avec son '347 Magnum'. Les policiers ont découvert un impact de balle, à une vingtaine de centimètres du sol, dans le chambranle de la porte de son magasin. Le commerçant a ensuite fait feu à cinq reprises sur le cambrioleur, qui tenait à la main le marteau de charpentier qui lui avait servi à briser la devanture.

Atteint au thorax, le malfaiteur s'est enfui en direction d'une camionnette stationnée en face du magasin, à environ 25 m de la porte, et dans laquelle l'attendait un complice qui l'a aidé à monter à bord.

Les deux hommes ont ensuite pris la fuite pour s'arrêter un peu plus loin dans le campement d'une communauté évangéliste à laquelle ils ont demandé de l'aide. Au moment où les membres de la communauté les faisaient monter dans une voiture pour les conduire à l'hôpital, les fuyards ont été repérés par une patrouille de police et interpellés sans difficulté.

1　Why was the shopkeeper in the shop at the time?
2　Why was there a bullet lodged in the door jamb near the floor?
3　How did the burglar get away?
4　What happened next?

6　Make up a story of about 60–80 words, using as many as possible of the objects and verbs below. Give yourself a point for each one used. There's an example at the back of the book.

une lettre	sortir
un chemin	poster
une tasse de café	écrire
une voiture	se tromper
une girafe	décider
un téléphone	prendre

7 Dominique Groués made a long and curious journey to Israel. Listen to M Groués talking about it on cassette 1, and then answer the questions.

1 What two main things made Dominique's journey different from a package holiday?
2 Can you guess what **coucher à la belle étoile** means?
3 Why did he get a good reception on the way?
4 Where was he particularly well looked after and why?

6 ICI ET LÀ

Describing places: where they are and what they're like

Two ways of knowing: savoir and connaître

Conversational signposts (1)

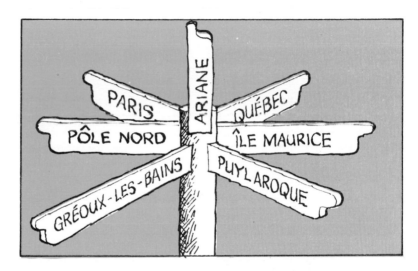

1   Les Poulin habitent à Poitiers, c'est-à-dire loin de Gréoux.
Pourtant, ils n'ont pas hésité à entreprendre un aussi long
voyage. Mais ils n'ont pas toujours passé leurs vacances en
Provence. Ils connaissent aussi la côte atlantique. Quelles
différences y a-t-il entre ces deux régions?

Daniel	Vous venez de la région de Poitiers là, il faut longtemps pour venir ici?
Mme Poulin	On a mis deux jours. On a fait halte chez mon beau-frère qui habite Le Puy-en-Velay.
Daniel	Mais c'est très joli par là en plus.
Mme Poulin	C'est très joli, voilà, et ça faisait l'occasion de se voir.
Daniel	Bien sûr. Et vous êtes … Où est-ce que vous êtes allés ailleurs en vacances?
Mme Poulin	Alors, comme on est plutôt de l'ouest, on est souvent allés du côté de la côte atlantique.
Daniel	Le climat est complètement différent là-bas, non?
Mme Poulin	Tout à fait, oui. Il y a pas cette chaleur, le temps est moins beau, c'est sûr.
Daniel	Vous avez fait du camping aussi là-bas?

Mme Poulin	Oui. Le seul inconvénient c'est le temps évidemment, et la mer – bon ben, moi, je n'aime pas beaucoup me baigner quand il y a des énormes vagues, et il y en a beaucoup, hein, en Atlantique.

ça faisait l'occasion de se voir	*that gave us a chance to see each other*

* **Quelle différence y a-t-il entre le climat de Gréoux et celui de la côte atlantique?**

2 À la fin d'un repas fort sympathique à la Pizzéria du Rocher, Daniel et Suzon, la propriétaire des lieux, ont découvert qu'ils avaient tous les deux des origines italiennes.

Suzon	De quelle région vous êtes?
Daniel	Cuneo.
Suzon	Ah la la! Nous y allions toujours en vacances (*oui, oui*). Cette vallée du Pô, c'est un jardin – il y a des légumes fantastiques et des fruits formidables.
Daniel	Vous connaissez San Front?
Suzon	San . . .? Non.
Daniel	Ah, c'est un tout petit village.
Suzon	Oui? Nous, nous allions à Robilante.
Daniel	Non, je connais pas.
Suzon	En allant sur Limone – vous connaissez pas Limone?

Daniel	Non.
Suzon	L'hiver, c'est une station de ski, mais l'été c'est touristique – il y a un monde fou dans ce coin-là, hein, c'est formidable! Mais il fait chaud quand même, hein?
Daniel	En été, oui.
Suzon	Oui, il fait très chaud, je trouve que … on est quand même mieux ici. À Gréoux, il y a un climat spécial.
Daniel	Ah oui, à propos du climat, ça fait longtemps que vous êtes ici?
Suzon	Eh, ça fait 24 ans.
Daniel	Donc vous avez connu la région avant qu'il y ait …
Suzon	Le barra- … oui, avant le barrage, oui, il y a eu une … (*et ça a changé, hein?*) Oh oui, net … net changement. Nous avions jamais de brouillard, il y a eu du brouillard. Il faisait des gros gels en hiver, c'est plus réduit; et ensuite, c'est beaucoup plus vert que ce que c'était. La verdure a prospéré, mais les premières années que nous étions là, c'était aride, on aurait dit … il y avait pas de verdure, c'était de la paille tout l'été.

en allant sur Limone	*going towards Limone*
un monde fou	*enormous crowds*
on aurait dit …	*it was like …, you'd have thought it was …*

* **Selon Suzon, quels sont les avantages et les inconvénients de la vallée du Pô?**

* **Quels sont les changements amenés par la construction du barrage?**

3 À entendre parler Suzon, Gréoux semble être un endroit où il fait bon vivre. Mais les apparences sont parfois trompeuses et les gens du nord comme Marie-Françoise et son mari ont quelquefois du mal à s'adapter à la vie dans le Midi.

Daniel	Vous êtes venus du nord de la France: est-ce qu'il est difficile de s'adapter à la Provence?
Marie-F	Il est facile d'y venir en vacances, mais il est difficile de s'y installer et de s'y adapter surtout.
Daniel	Et pourquoi?
Marie-F	Ben, je vais peut-être être méchante!
Daniel	Ça fait rien!
Marie-F	Au manque de chaleur des Provençaux. Ils laissent les étrangers – puisque les gens du nord ou au-dessus de Lyon sont étrangers aux Provençaux – ils les laissent de côté.
Daniel	Est-ce qu'il y a beaucoup, entre guillemets donc, d'étrangers dans la région?
Marie-F	Oh, surtout là où on est, presque un tiers.
Daniel	Alors, ça va bientôt être les gens d'ici qui vont être les étrangers!
Marie-F	Voilà, presque!

Daniel	Est-ce peut-être justement parce que ils ont l'impression d'être envahis qu'ils se tiennent un peu sur leurs gardes?
Marie-F	Ça doit être ça, je pense que ça doit être ça. Et puis on est venus chercher le soleil, alors on a besoin de rien d'autre pour eux. C'est pour ça. Ils partagent le soleil et rien d'autre.
Daniel	Ils partagent le soleil et rien d'autre. Et seriez-vous prêts à retourner dans le nord de la France?
Marie-F	Oui, oui, oui, malgré le froid, et . . . certainement.

Marie-Françoise et
sa famille

* Quelle différence y a-t-il entre les gens du nord et ceux du sud, selon Marie-Françoise?

* Pourquoi est-ce que les gens de la région 'se tiennent un peu sur leurs gardes'?

4 Il y a quelques années, tous les Parisiens rêvaient de vivre à la campagne, loin des embouteillages et de la pollution de la capitale. Pour certains d'entre eux, le rêve est devenu réalité. C'est le cas de Madame Deshayes qui a longtemps habité dans une maison au toit de chaume, en pleine campagne normande, avant de s'installer à Bois-Guillaume dans la banlieue de Rouen.

Danielle	Je crois que vous habitiez à la campagne avant, et que vous êtes venue vous installer à Bois-Guillaume, qui est la banlieue de Rouen?
Mme Deshayes	Oui, depuis trois ans. J'habitais à la campagne, la campagne normande, la vraie campagne normande, une maison au toit de chaume, une vraie chaumière – un rêve de Parisienne! C'est vrai, j'ai habité 15 ans dans un bois pratiquement, et pas très loin, à 18 kilomètres.
Danielle	Pourquoi avez-vous abandonné cette maison de rêve?

Mme Deshayes	Parce qu'elle était trop grande, parce que les enfants avaient beaucoup grandi et qu'ils partaient. Et nous avions très envie de revenir en ville. Ça avait duré 15 ans, c'était très bien, c'était suffisant. Et nous sommes revenus à Rouen, que j'aime beaucoup.
Danielle	Mais pourquoi Rouen, ou pourquoi Bois-Guillaume?
Mme Deshayes	Parce que, dans ce quartier particulièrement, qui est tout tout proche de Rouen, je trouve que nous bénéficions des avantages de la ville sans en avoir les inconvénients.
Danielle	C'est-à-dire, les avantages de la ville?
Mme Deshayes	Les avantages de la ville, c'est-à-dire une vie culturelle facile, dont – il faut bien l'avouer – nous avons été privés pendant les 15 années de vie à la campagne. C'est-à-dire que chaque déplacement pour le cinéma, le théâtre (*les magasins*), une conférence, un concert, c'était à chaque fois 40 kilomètres, et retour tard le soir, donc l'hiver presque impensable; et l'été, c'était tellement agréable là-bas qu'on ne bougeait plus. Il y venait du monde à la maison, mais nous n'en partions plus guère.
Danielle	Et les avantages de la campagne, vous disiez, ici?
Mme Deshayes	De ne pas être en appartement en ville, d'avoir tout de même une maison avec un petit peu de jardin, un certain isolement, beaucoup de calme. Bien qu'étant très proche de la ville, ce quartier particulièrement est très calme.

il y venait du monde	*lots of people came*
nous n'en partions plus guère	*we scarcely ever left the place*

✳ Qu'est-ce que c'était, 'le rêve de Parisienne' de Mme Deshayes?

✳ Quels sont, d'après Mme Deshayes, les avantages de la campagne et ceux de la ville?

5 En 1975, quand la guerre a éclaté au Liban, Myrna et sa famille ont quitté Beyrouth pour venir se réfugier en Europe et y commencer une nouvelle vie. Il leur a fallu un certain temps pour se faire à nos moeurs européennes.

Myrna Alors on a été à Bruxelles à cause du travail de mon père, et j'ai toujours détesté. C'est trop petit et il n'y a rien à faire. Vraiment, c'est très mort comme ville. Il y avait un truc très marrant qui s'est passé parce que, au Liban, quand on a de nouveaux voisins (*oui*), on les invite à prendre le café pour les connaître. Alors, nous, on a vécu dix ans à Bruxelles (*oui*), on a jamais rencontré nos voisins –

Corinne Jamais?

Myrna Jamais. Alors ma mère a décidé il y a quelques années d'aller quand même faire la connaissance de notre voisine. Elle a tapé à la porte, elle a dit: 'Bonjour, madame, je suis votre voisine,'. Elle a dit: 'Alors, qu'est-ce que vous voulez que je fasse?'! Alors, voilà, quoi, c'était pas très agréable!

il y avait un truc très marrant	*there was a very funny incident*
qu'est-ce que vous voulez que je fasse?	*what do you expect me to do about it?*

* Pourquoi est-ce que Myrna n'aime pas Bruxelles?

* Pourquoi est-ce que sa mère a voulu faire la connaissance de la voisine?

LE POURQUOI ET LE COMMENT

Talking about places

1 To say where you're from

nous sommes on est	du nord du sud de Marseille britanniques(s)

To say where you live

on habite	à la campagne en ville en banlieue dans le nord

and where that is in relation to somewhere else

c'est à trois kilomètres de King's Lynn

2 Apart from words giving precise locations – **dans, sur, en,** etc – there are commonly-used expressions with less precise meanings

là-bas	over there, back there
par là, dans ce coin-là	in that area/direction, round there
ailleurs	elsewhere
du côté de	in the area/region of

3   To talk about the climate and compare it with other places

| il fait | moins
plus
assez
plutôt
très | chaud
froid |

and say how good it is in spite of drawbacks

| c'est un
endroit | fantastique
formidable
merveilleux
très joli | malgré | le brouillard
le mauvais temps
le froid
les gros gels |

or le seul inconvénient, c'est | le mauvais temps
qu'il pleut tout le temps

How long

To say how long it will take to get somewhere

| il faut | cinq minutes
deux heures
trois jours | pour aller à Dijon |

To say how long you took to go somewhere or to do something

| j'ai mis deux heures pour | venir ici
laver la voiture |

Two ways of knowing

connaître – to know people, places, languages, etc, or to have heard of them

tu connais Michael Jackson?
tu parles, je connais ses chansons par cœur!
Mme Deshayes connaît l'italien

savoir – to know a fact

je sais que vous êtes beau, intelligent, riche, mais . . .
je sais où se trouve la gare

or to know how to do something

Suzanne sait jouer aux boules

Conversational signposts (1)

Using phrases from this chapter you can

State your opinion

je trouve que
je pense que . . .

Underline points with

surtout	il est difficile de s'adapter surtout
particulièrement	dans ce quartier particulièrement
tellement	c'était tellement agréable
tout à fait	tout à fait différent

Accept others' opinions

ça doit être ça
vous avez raison
c'est sûr
c'est vrai
bien sûr

Show a measure of doubt with

peut-être
quand même
c'est possible

Give reasons and explanations

(c'est) parce que ...
et voilà pourquoi ...
c'est-à-dire ...

DES MOTS ET DES CHOSES

un truc
A common colloquial word usually meaning an object you don't know or can't remember the name of – a *whatsit* or *thingummy*. It can also be a clever device or dodge, or even an event.

marrant
Another common colloquial word – it means *funny*, in the sense of either amusing or strange.

connaissance
A noun, formed from the verb **connaître**, with several meanings

avoir des connaissances en/ sur ...	*to have some knowledge of something*
faire la connaissance de quelqu'un	*to get to know someone*
avoir de nombreuses connaissances	*to know a lot of people*
perdre connaissance	*to lose consciousness*

à cause de
Frequently confused with **parce que** by English speakers

parce que ...	*because ...*
à cause de ...	*because of ...*

Parce que is followed by a verb and **à cause de** by a noun or pronoun.

DERNIÈRE ÉDITION

QUARANTE-TROISIÈME ANNÉE – N° 12889 – 4,50 F   Fondateur : Hubert Beuve-Méry   Directeur : André Fontaine   – MARDI 8 JUILLET 1986

monde

Its first meaning is *world*, and in that sense it has been taken as a title by a famous French newspaper, **Le Monde.** It also means *people* in the sense of fairly large numbers of people: **il y a toujours du monde à Manosque l'été** – *there are always lots of people in Manosque in summer.* And so **beaucoup de monde, peu de monde, pas mal de monde, un monde fou,** and of course **tout le monde.**

quand même

This phrase crops up very frequently in French conversation and always has the implication of *but, after all, nevertheless, all the same.* Suzon says, after singing the praises of the Po valley: **il fait chaud quand même** – *but it isn't half hot there.* And she adds: **on est quand même mieux ici** – *we're better off here though.*

Quand même is even used on its own, as a comment, to mean *come off it, you're exaggerating.*

Expressions à retenir

on a mis deux jours pour ...
ça fait 20 ans que ...
laisser de côté
on aurait dit
rien d'autre
entre guillemets

EXERCICES

1 Using the clues, fill in this crossword.

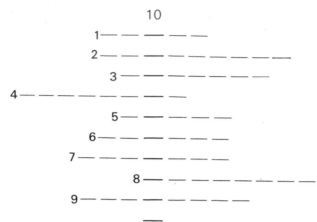

1 Pas ici.
2 Ce que font les gens généreux.
3 Capitale de la Grande Bretagne.
4 Une partie de la ville en dehors de la ville.
5 Entre la moitié et le quart.
6 Marie-Françoise retournerait volontiers dans le nord ....
   le mauvais temps.
7 Se rapporte au climat et aux gens.
8 Pas ici non plus.
9 Une partie de la ville.
10 Typique du climat londonien, d'après les Français.

2 These are clues to the names of eight French **départements.**
   Select the appropriate **département** from the list below.

1 Départements jumeaux à l'envers sur la carte.
2 Pourtant pas en Autriche.
3 Tous les trains s'y arrêtent.
4 Peut-être de Boulogne ou de Dunkerque, mais ...
5 Bras de mer et bout de terre.
6 Ses habitants l'aiment beaucoup.
7 On le met en bouteille.
8 Entre les Hautes-Alpes et les Alpes-Maritimes.

   Gard
   Calvados
   Vienne
   Haut et Bas-Rhin
   Alpes de Haute-Provence
   Manche
   Pas-de-Calais
   Cher

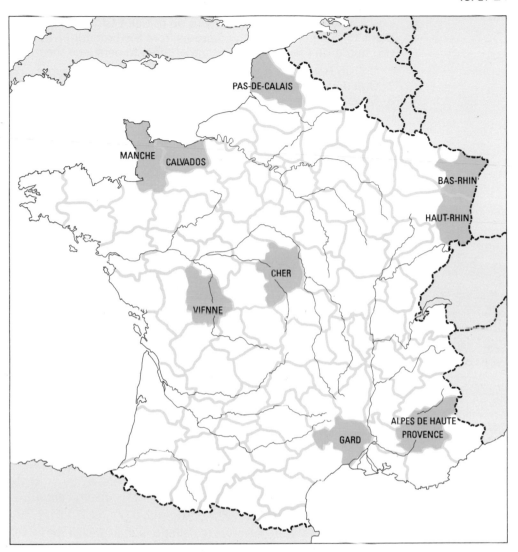

3 Cousin Henry is not very efficient at learning French. he often gets the wrong word but the first letter is always right. What do you think he is trying to say here?

La Côte d'Azur est très *bossue*, bien sûr, mais moi, j'aime mieux la *croûte* atlantique. J'aime bien y passer mes *vaccins*. Il y a d'énormes *valises*, et c'est bien quand on veut faire de la *plaque* à *veau*. Mais il n'y a pas que la *Fronde*. L'*envers* où j'habite est très *joufflu* aussi. C'est une *pâle* ville avec une *jaunie* place du *marron*. Moi, j'ai une grande *mairie* à la *camomille* à trois kilomètres de la *voile*.

4 You are trying to get your family to go to Saint Glouglou-les-Bains for the holidays. What features from the brochure would you quote (in French) to each one of them to persuade them?

1 Cousin Henry is a hypochondriac suffering with his 'tubes'.
2 Grandma is keen on botany.
3 Sister Kate likes rock-climbing, fell-walking and skiing.
4 Her husband Clarence wants beautiful countryside, good weather and a bit of fishing.
5 Your friend Robert believes a swim and a brisk game of something energetic every day is essential.
6 Your small nieces and nephews have to be taken into account.

Saint-Glouglou-les-Bains

Pyrénées-Atlantiques, altitude 320 m

À 7 km d'Oloron-Ste-Marie, St-Glouglou est à mi-chemin de Pau et de l'Espagne, juste avant les premiers contreforts des Pyrénées.

La neige est à 45 minutes de voiture, à Gourette, par le plus long téléphérique d'Europe; on peut même y skier en juillet.

Le Pays Basque est à côté, les plages atlantiques de Biarritz ne sont qu'à 1 h 30 de voiture. Le Col de Somport, tout proche, ouvre vers l'Espagne une route de montagne d'une grande beauté. On peut faire du canoë et de l'escalade dans les Gorges du Guerlance.

Le Parc naturel des Pyrénées est une réserve où l'on peut admirer, sans les cueillir, des fleurs rares et apercevoir quelques spécimens de la faune: tétras, isards, ours ou l'aigle des Pyrénées. Lourdes n'est pas loin.

La station tout entière avec ses installations d'accueil et de cure se blottit dans un parc planté d'arbres magnifiques, plus que centenaires.

L'Hôtel du Parc, ainsi que d'autres plus modestes, se dissimule parmi les grands séquoyas; quelques demeures anciennes connaissent une nouvelle vocation sous forme de studios, modernes dans leur installation.

Dans le parc ou aux abords immédiats on pratique tennis, natation, équitation, canotage sur le petit étang, et la pêche à la truite dans les gaves des environs. La station dispose aussi d'équipements pour les enfants.

Uniques en Europe, les eaux cuivriques de St-Glouglou, excellentes pour les voies respiratoires et la peau, contribuent à la relaxation dans cette ambiance de détente qu'un simple passage en Béarn laisse déjà pressentir.

5   At a pizzeria in Provence, you have a chat with the waiter.

Waiter   Qu'est-ce que vous pensez de la Provence?
You   (*Your opinion is that it's a marvellous place.*)
Waiter   Alors, vous vous plaisez chez nous?
You   (*Yes, particularly because of the weather.*)
Waiter   Ah ça, c'est sûr. Dans la région, il fait toujours beau.
You   (*Agree, and say that's precisely why you come here.*)
Waiter   Oh! Mais il y a pas que le beau temps, hein?
You   (*No, of course. You are very keen on the wine and the food as well.*)
Waiter   Ah! Eh bien, dans ce cas, est-ce que vous connaissez 'La Piste des Vins'?
You   (*No. Ask what it is.*)
Waiter   C'est un organisme qui s'occupe d'excursions dans les vignobles du coin. Vous partez avec un guide dans une Land Rover et on vous explique tout sur la fabrication des vins. Et bien sûr, après, on vous fait déguster.
You   (*That sounds very interesting. Ask where you can find out about it.*)
Waiter   Je suis sûr qu'il doit y avoir un dépliant là-dessus au Syndicat d'Initiative.
You   (*Oh well, that's perfect. You'll go and get one tomorrow.*)
Waiter   Mais j'y pense, je voulais vous demander: en Angleterre, vous faites du vin?
You   (*Yes, we do, in spite of the bad weather. Ask him if he's ever been to England.*)
Waiter   Non. J'aimerais bien y aller mais ... avec la pizzéria je n'ai pas vraiment le temps.

LA PISTE DES VINS

Excursion viticole
Safari photos

UNIQUE EN PROVENCE

Promenade
en Land Rover
à la découverte insolite
du vignoble, des châteaux
et des sites les plus secrets
du Pays d'Aix.

6 Listen to the conversation on cassette 2 between Danielle and
Mme Deshayes about the street where they both live in Rouen.
Then answer these questions.

1 What point does Mme Deshayes make about garages?
2 She mentions **un véritable problème** – what is it?
3 What happened when she moved house?
4 **Le gros avantage** – what is it? And how does it come about?
5 What does Mme Deshayes find **tout à fait extraordinaire?**

7 FAMILLES

Making your argument clearer, by using c'est-à-dire, **etc**

Agreeing and disagreeing

Expressing opinions

Conversational signposts (2)

1 Monsieur et Madame Groués, un couple à la retraite, habitent une belle maison qui domine le lac d'Esparron. La maison est trop grande pour eux seuls, mais ils ont sept enfants et plusieurs petits-enfants dont ils reçoivent régulièrement la visite, sans oublier leurs propres frères et sœurs. Ils sont donc très bien placés pour parler des familles nombreuses d'hier et d'aujourd'hui.

Daniel Votre maison est bien grande ici pour une maison de retraite, pourquoi?

Mme Groués C'est parce que nous avons sept enfants, dont quatre qui sont mariés, et qui ont pas mal chacun d'enfants, ce qui fait que nous avons douze petits-enfants pour le moment, et nous avons encore quatre garçons qui ne sont pas mariés ... non, trois, trois, trois, je me trompe! Trois garçons, les trois derniers, voilà. Alors, nous avons construit une maison ... C'est-à-dire elle est pas très grande, c'est le séjour qui est un petit peu grand, mais les chambres sont pas grandes, mais c'est pour que l'on puisse avoir des soirées familiales et même danser, s'amuser.

Daniel	Vous avez sept enfants: est-ce que vous venez tous les deux d'une grande famille aussi? Madame Groués:
Mme Groués	Moi, nous étions que quatre parce que nous avons perdu notre maman très tôt; et mon mari, ils étaient huit enfants.
M Groués	Nous étions donc huit, et nous sommes encore six vivants. La plupart, enfin, ils habitent dans la région lyonnaise, et eux-mêmes ont beaucoup d'enfants.
Daniel	Et est-ce que vous pensez que vos enfants auront six ou sept enfants?
Mme Groués	Non, je pense qu'ils désirent en avoir que quatre. Je crois que quatre c'est maintenant une famille très nombreuse. C'est déjà,

je crois, assez difficile pour les ménages actuels, le genre de situation, de vie, et puis de logement. Je crois que c'est déjà pas mal. Mais à Lyon, à Lyon, il y a beaucoup de familles nombreuses, enfin, dans nos âges à nous.

Daniel   Oui, alors justement oui, dans vos âges à vous, mais les nouvelles générations semblent être moins nombreuses en général.

Mme Groués   C'est ça, oui.

Daniel   Vous êtes d'accord, non?

Mme Groués   Ah oui, oui, oui – trois, quatre enfants – je trouve aussi.

Daniel   Et vous-même?

M Groués   Toujours sur le même sujet? Oui. Il est quand même certain que c'était plus facile de notre temps d'élever des familles nombreuses. Il y a différentes raisons à cela: l'une, c'est certainement d'abord que les épouses maintenant travaillent même lorsque le mari a une situation qui est suffisante. D'autre part, les logements sont généralement plus confortables qu'avant guerre mais plus petits. Enfin les enfants, avec le développement de tout ce que la vie moderne offre, sont plus exigeants qu'auparavant.

dont quatre qui sont mariés	*four of whom are married*
qui ont pas mal chacun d'enfants	*who have quite a few children each*
l'on puisse	*the subjunctive of* pouvoir – *means the same as* l'on peut
nous étions que quatre	*there were only four of us*
dans nos âges à nous	*in our age bracket*

   *   Pourquoi est-ce que Mme Groués dit 'je me trompe'?

   *   Quelles sont les raisons pour lesquelles M Groués croit que la vie est moins facile maintenant pour les familles nombreuses?

2   Il y a chez les Groués un esprit de famille très fort. Grands-parents, parents et petits-enfants se réunissent plusieurs fois par an, dès que l'occasion s'en présente. Daniel, qui est le père de trois enfants, a interrogé Madame Groués sur ces rencontres familiales.

Daniel   Alors, vous avez une grande salle de séjour: vous vous réunissez souvent en famille?

Mme Groués   Oui, oui, assez souvent: pendant les vacances, chaque ménage vient dix à quinze jours pendant les grandes vacances. Quelques-uns viennent à Noël, d'autres viennent à Pâques – nous sommes facilement dix, douze à la maison; et puis pour les très grandes fêtes, les grands événements, les grands anniversaires, comme notre anniversaire de mariage, tous les enfants se réunissent. Et puis autrement, nous voyageons tous

les ans, nous allons faire le tour de tous nos enfants. Alors, nous faisons un petit peu le tour de France pour les voir un petit peu partout; et ils nous demandent toujours de venir pour les grandes fêtes familiales comme les communions, qui ont commencé maintenant puisque nos aînés ont treize ans – les aînés des petits-enfants. Alors, bon, nous allons chez eux passer quelques jours; puis de temps en temps nous allons les aider, ou bien c'est eux qui viennent nous aider quand il y a des difficultés. L'esprit de famille est très grand et les enfants sont très gentils, et très gentils entre eux: ils s'entraident aussi beaucoup, ils vont beaucoup les uns chez les autres aussi.

---

ils vont les uns chez les autres   *they visit each other*

---

*   Faites une liste des occasions où la famille Groués se réunit.

3   De nos jours, on ne peut pas parler mariage et famille sans prononcer le mot de divorce. À l'heure actuelle, il existe beaucoup de gens qui sont dans le même cas que Pierre: à plus de 40 ans, celui-ci est père de deux familles; après son divorce, il ne s'est pas remarié mais il vit en union libre avec sa nouvelle compagne.

Danielle	Alors, Pierre, une question plus personnelle: l'homme de 40 ans –
Pierre	45, 45!
Danielle	45 – ah, tu fais tellement jeune! L'homme de 45 ans, cadre supérieur, c'est un homme marié, remarié, divorcé: comment tu vis?
Pierre	Ah, alors, j'ai été marié. Je revis ce qu'on appelle 'en union libre',

avec de nouveau deux enfants; c'est-à-dire que j'ai eu deux fois deux enfants à à peu près 20 ans d'intervalle, et je suis alors en même temps père d'une petite fille d'un an, et je vais être grand-père dans la prochaine semaine; ce qui montre que la situation n'est pas des plus simples.

Danielle	Et est-ce que c'est facile d'être un jeune père de 45 ans?
Pierre	Je n'ai pas de difficultés majeures à être un jeune père de 45 ans. Je trouve même que c'est presque plus facile qu'à 20 ans, parce que on a pas les mêmes contraintes, en particulier financières, ce qui nous permet d'être un peu plus libres par rapport à des enfants. On peut se faire aider davantage. On peut avoir des conditions de logement qui sont meilleures, donc finalement on a plus la partie agréable que le reste.

tu fais tellement jeune!	*you look so young!*
la situation n'est pas des plus simples	*the situation is not of the simplest (ie is quite complicated)*
on peut se faire aider davantage	*you can get more help with things*
on a plus la partie agréable que le reste	*we get the best bit*

＊ Danielle se trompe en essayant de résumer la vie de Pierre: quelle erreur commet-elle?

＊ Qu'est-ce que cela veut dire, 'en union libre'?

4 Beaucoup d'hommes de la génération de Pierre vivent une situation semblable à la sienne: ils ont divorcé puis se sont 'recasés' avec une autre femme. Les femmes suivent-elles la même tendance ou bien ont-elles plus de mal à refaire leur vie? Voici ce que Pierre et Danielle ont à dire sur la question.

Danielle Pierre, dis-moi, j'ai une impression, j'ai une question qui me turlupine: j'ai l'impression que beaucoup d'hommes de ta génération, disons les 38–45, se remarient ou se réinstallent ou se recasent avec une femme, alors que les femmes du même âge, qui ont, elles aussi, divorcé après dix ou quinze ans de mariage, ne se réinstallent pas. Et j'ai l'impression que c'est difficile pour les femmes de 35, 45 ans de trouver des hommes.

Pierre En fait, je ne crois pas que ça tient au fait d'être hommes et femmes, ça tient au problème d'enfants issus d'un premier mariage. Il se trouve que, neuf fois sur dix, c'est la femme qui prend les enfants en charge, et il est très difficile de refaire, comme on dit, sa vie lorsqu'on a des enfants à charge. Alors, la plupart des hommes n'ayant pas leurs enfants à charge autrement que de temps en temps le week-end, et pendant des moments de vacances, bon, ils n'ont pas de difficultés à refaire leur vie.

ça tient au fait	*it's to do with*
il se trouve que	*it so happens that*
comme on dit	*as it were*

* **Quelle est la réponse de Pierre à la question de Danielle? Est-ce que Pierre a raison? Est-ce qu'il y a d'autres réponses possibles?**

5 Née au Liban d'une famille arménienne, transplantée en Europe alors qu'elle était encore enfant, Myrna considère aujourd'hui qu'elle a une mentalité européenne. Pourtant, ses parents ont essayé de préserver, dans l'éducation qu'ils donnent à Myrna et à ses frère et sœur, certaines des traditions de leur pays d'origine.

Corinne Toi, Myrna, alors tu retournes de temps en temps au Liban?

Myrna Euh, non, parce que . . . à cause de la guerre, mais je suis retournée il y a trois ans, et je crois que je retournerai plus parce que tout est trop différent, et moi, j'ai une image du Liban que je veux garder. Et bon, j'ai une mentalité européenne. Mes parents sont devenus beaucoup moins stricts. Si je retourne au Liban ça va tout recommencer – les femmes au foyer, enfin . . .

Corinne Voilà, c'est ça (*tout ça*), oui. C'est une question de la position qu'ont (*de la femme*) . . . qu'ont les femmes –

Myrna Oui –

Corinne Oui.

Myrna	Oui. Alors, je crois pas que je pourrais vivre là-bas, à cause de ça.
Corinne	Tes parents, ils se comportent avec toi comme ils se comporteraient si vous étiez encore au Liban, ou est-ce que tu es libre de faire tout ce que tu veux ou . . .?
Myrna	Non, non. Non, disons que, au début, ils étaient très stricts, tellement stricts que on avait beaucoup de problèmes, et disons que ils se sont habitués à me laisser faire un peu ce que je voulais, mais encore avec beaucoup de restrictions quoi, quand même, oui. Enfin, je dois leur dire où je vais, qu'est-ce que je fais, tout quoi. Encore, ils veulent qu'on garde cette tradition, parce que comme on a perdu beaucoup de nos racines, ils veulent au moins qu'on ait cette tradition, quoi.
Corinne	Oui.

je retournerai plus	= je ne retournerai plus
les femmes au foyer	*a woman's place is in the home*
on ait	*the subjunctive of* avoir – *means the same as* on a

*   Quelle est la raison principale pour laquelle Myrna ne veut pas retourner au Liban?

*   D'après les observations de Myrna, quelles sont les caractéristiques d'une famille libanaise traditionnelle?

LE POURQUOI ET LE COMMENT

To make your argument clearer
Even today, reason and logic are highly regarded in the French educational system. It's not surprising that the language contains many expressions for making explicit the connections between ideas, eg:

c'est-à-dire (que) . . . – *that's to say* (*that*) . . .

J'ai été marié. Je revis ce qu'on appelle 'en union libre' avec de nouveau deux enfants; *c'est-à-dire que* j'ai eu deux fois deux enfants.

ce qui montre que . . . – *which shows that* . . .

Je suis alors en même temps père d'une petite fille d'un an, et je vais être grand-père dans la prochaine semaine; *ce qui montre que* la situation n'est pas des plus simples.

ce qui fait que . . . – *which means that* . . .

Ils ont pas mal chacun d'enfants, *ce qui fait que* nous avons douze petits-enfants.

ce qui nous permet de ... – *which allows us to ..., which means we can ...*

On n'a pas les mêmes contraintes financières, *ce qui nous permet d'*être un peu plus libres.

disons (que) ... – *let's say (that) ...*

Beaucoup d'hommes de ta génération, *disons* les 38–45, se remarient.

To say you agree
There are several ways

1   Just plain **oui** – repeated several times if you wish

2   **précisément** – *exactly, precisely*
    c'est ça – *that's it, that's right*

3   **vous avez raison** – *you are right*

4   **d'accord** – *agreed, right, OK*
    This last phrase is also used to ask if someone agrees with you
    on va faire un pique-nique,   *we'll have a picnic, all right?*
        d'accord?
    To be a bit more emphatic you can say
    je suis tout à fait d'accord   *I agree completely*
    If you're not quite so sure, add **peut-être** or **c'est possible**
    oui, peut-être ...
    To disagree politely, use
    oui, mais ...
    oui, justement, mais ...

Conversational signposts (2)
1   You can express a tentative opinion
    j'ai l'impression que beaucoup d'hommes se remarient
    il me semble que c'est plus difficile pour les femmes

2   You can organise your remarks using

d'abord	*first (of all)*
puis	*then, next*
d'autre part	*next, on the other hand*
enfin	
finalement	*lastly, finally*

3   You can state alternatives using **ou ... ou ...**
    les hommes se remarient ou se réinstallent ou se recasent
    or **soit ... soit ...**
    on arrivera soit jeudi soit vendredi

4 **Alors** – a very common and useful word with many meanings, among which are

then, at that time   j'habitais alors à Toulouse

so, well then   alors, Pierre, une question plus personnelle

so, therefore   je suis alors en même temps père et grand-père

and **alors que** means *whereas*

les hommes se remarient, alors que les femmes ne le font pas

Each other/one another

1 To express a reciprocal action, you normally use a reflexive verb

ils s'aiment   *they love each other*

ils s'entraident   *they help each other*

ils sont en train de se lancer des boules de neige   *they're throwing snowballs at each other*

2 To stress the reciprocity, use a variation on **les uns/unes ... les autres**, or **l'un/une ... l'autre** if there are only two people involved

nous nous faisons des cadeaux les uns aux autres   *we give each other presents*

ils se disent du mal les uns des autres   *they're saying rude things about each other*

ils se plaignent l'un l'autre   *they're feeling sorry for one another*

3 You can also use the phrase without a reflexive verb

ils vont les uns chez les autres   *they go to each other's houses*

DES MOTS ET DES CHOSES

actuel, actuellement

These have nothing to do with *actual* or *actually*. They mean *present* and *presently*: **à l'heure actuelle** — *at the present time*. Actually, there are a number of ways of translating *actually*. In the previous sentence it means *as a matter of fact* – **en fait**.

cadre

has a number of meanings, all of which are connected with the idea of *frame* or *framework*. It can be a *picture frame*; or the *setting* for an event: **le château constitue un cadre impressionnant; dans le cadre du XVème Festival de Cannes**. It can also be an *executive* or member of the management of a company – ie its framework.

séjour

This means a length of time you stay somewhere: **un séjour de trois semaines sur la Côte d'Azur**. It's also part of a house. In the older, bigger houses there was usually a separate dining-room **(une salle à manger)** and a sitting-room **(un salon)**. When modern homes became smaller and the two rooms were combined into one room where one spent most of one's time, it came to be called **la salle de séjour**, frequently shortened to **le séjour**. Now, even in a house with a separate sitting-room, **le séjour** is often preferred to the older word, **le salon**.

une famille nombreuse

This is an official definition for social services purposes. A **famille nombreuse** is one with three or more children. The family then qualifies for a number of advantages like cheap rail fares.

Expressions à retenir

tous (les) deux
de notre temps
en même temps
d'ici cinq, six ans
les grandes vacances
de temps en temps
neuf fois sur dix

EXERCICES

1 Read conversation 2, p 101, and then try to remember the French for the following:

1 Christmas and Easter
2 quite often

DÉCEMBRE						
L	M	M	J	V	S	D
1	2	3	4	5	6	7
8	9	10	11	12	13	14
15	16	17	18	19	20	21
22	23	24	25	26	27	28
29	30	31				

3 there can easily be ten or twelve of us
4 every year
5 they always ask us to come
6 or else
7 we go and spend a few days with them
8 they come and help *us*
9 very nice to each other

2 Match up the beginnings and ends of the sentences.
1 Nous avons acheté une caravane . . .
2 Nos enfants ne vivent plus avec nous . . .
3 On a eu beaucoup de chance . . .
4 Même les personnalités politiques n'hésitent pas à divorcer . . .
5 Je suis très occupé en ce moment . . .

a . . . ce qui fait que nous n'avons plus besoin d'une aussi grande maison.
b . . . c'est-à-dire que je n'ai pas un seul moment de libre d'ici jeudi.
c . . . ce qui nous permet de voyager facilement pendant les vacances.
d . . . ce qui montre que le divorce est maintenant complètement accepté dans notre société.
e . . . parce que, malgré le chômage, nos enfants ont tous trouvé une situation.

3 Using **plus** or **moins**, and adding **beaucoup** or **un peu** if you want, make comparisons of the two items mentioned in each of these notes. Note that in one case you cannot use **plus**.
1 Le climat dans le nord de la France et dans le sud – *sec*

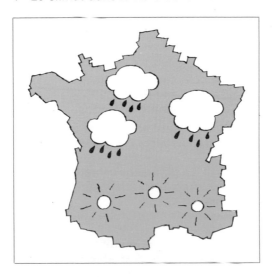

2 Gulliver et les Lilliputiens – *grand*
3 Les enfants d'aujourd'hui et vous-même quand vous étiez enfant – *exigeant*
4 La vie, aujourd'hui et il y a 100 ans – *facile*
5 La vie d'un couple sans enfants et avec enfants – *simple*
6 Le saumon frais et le saumon congelé – *bon*

4 You've got yourself involved in a discussion with Daniel about big and small families.

You (*Express the tentative opinion that life in a big family is more interesting.*)

Daniel Oui, sans doute, mais ça coûte cher d'entretenir une grande famille.

You (*That's true, but there are other things to take into account apart from money. For a start the children can play together, then the older ones can look after the younger ones, whereas in a small family it's the parents who have to do everything. Finally, when the children are grown up they can help each other, visit each other and have big family parties – it's much more fun.*)

Daniel Ah, oui, mais tu te montres un peu trop optimiste là. Si les enfants ne s'entendent pas et se disputent sans arrêt, alors là, c'est pas drôle du tout.

You (*Agree completely, and say you hadn't thought of that.*)

5 Read the extract (right) from a French newspaper about **Le mariage: pour ou contre?**.

1 Cécile makes her point very strongly – what is it?
2 Isabelle sees only one reason for marriage – what is it?
3 Robert uses the expression **contrairement à ce qu'on pense:** what is it that is 'contrary to what people think'?
4 Is Richard in favour or not? What makes you think that?
5 According to Jean, why do people marry?

6 Listen to the continuation of the conversation on cassette 2 between Danielle and Pierre, who is a socialist councillor in Rouen. Then answer the questions.

1 Danielle says **'C'est encore une chose possible ou ...'**: what is the **chose** in question and does Pierre think it possible or impossible?
2 Pierre says **'La différence est relativement minime'**: what difference? And what qualification does he introduce with **sauf pour ...?**
3 Why does Pierre mention **un adjoint au maire** and Monsieur Lecanuet?
4 **'C'est quelque chose qui rentre dans les normes'**: what does this phrase mean, and what is Pierre talking about?

Le mariage : pour ou contre?

Le samedi est le jour traditionnel des mariages. On entend des klaxons joyeux par la ville: les familles sont bruyantes en ce jour qu'elles approuvent bien souvent et attendent avec impatience. Les gens qui ne sont pas concernés hochent la tête. Parfois, une réflexion amère, un haussement d'épaules ... parfois un sourire entendu ou approbateur.

Que pense-t-on aujourd'hui de cette institution séculaire?

Les jeunes s'en moquent

Le mariage n'est pas au goût de tout le monde, mais la vie en commun paraît inévitable. Ecoutons quelques jeunes personnes: Cécile, 20 ans, pense que c'est une 'histoire de paperasses'.

Elle qui aime son indépendance ne pense pas se marier, et veut bien vivre en union libre, mais à la seule condition de garder sa liberté, de n'avoir pas sans arrêt de comptes à rendre. Elle pense avoir la même attitude pour son compagnon: 'Il faut accepter de laisser l'autre faire ce dont il a envie!'

Isabelle, 24 ans, pense que le mariage n'est pas utile, sauf lorsqu'arrivent les enfants: 'Les sentiments n'ont rien à voir avec le mariage ...'

Robert, 32 ans, pense que cette institution est 'un peu dépassée'. Il ajoute: 'contrairement à ce qu'on pense, ce n'est pas une affaire de responsabilité ou d'engagement, car sans contrat, on doit faire beaucoup plus de concessions, être plus attentif'.

Quant à Richard, 34 ans, il est très désabusé: 'C'est une autorisation légale d'aller dans le même lit ... je suis bien vu de ma belle-famille depuis que le contrat a été signé, et maintenant, je pourrais faire ce que je veux. En vérité rien n'a changé avec ma femme depuis que nous sommes mariés devant la loi, et je suis bien toujours le même!'

Cela revient à la mode

Jean, 23 ans, vient de se marier et ne le regrette pas. 'Le mariage revient à la mode' déclare-t-il, et les chiffres lui donnent raison jusqu'à un certain point.

'Les gens se marient par amour de la tradition et parce que c'est le meilleur moyen de rapprocher les familles. Je suis pour, cela apporte plus de sincérité.'

EMPLOI

Talking about jobs

Saying what you need and what needs to be done, using il faut

Conversational signposts (3)

À la recherche du travail perdu

1   Nous retrouvons maintenant la famille Groués. Cette fois-ci, il est question du travail.

Daniel	Et vous faisiez quoi avant de prendre votre retraite?
M Groués	J'étais cadre dans une société qui construit du matériel frigorifique pour les supermarchés, les collectivités, les hôtels.
Daniel	Que font vos enfants?
Mme Groués	Eh bien, ils ont tous des situations très différentes. Il y en a ... l'aîné est dans le froid, frigoriste; le second est chez Rank Xérox; troisième, c'est une fille qui est secrétaire de direction; et puis ensuite, il y a Dominique qui donc voyage à Jérusalem pour le ... l'énergie solaire; et Bruno est à la Croix Rouge, à la direction technique et juridique; et puis nous avons une infirmière; et le dernier qui est à une école supérieure de commerce à Grenoble.

dans le froid   *(working) in refrigeration*

* 'Secrétaire de direction' – pouvez-vous expliquer ce que cela veut dire?

* Une infirmière – qu'est-ce qu'elle fait?

2 Dans les grandes surfaces, on trouve de tout, et le directeur d'un supermarché est certainement bien placé pour étudier les habitudes alimentaires de ses clients. C'est précisément le cas de Monsieur Fieffer qui nous parle aussi du personnel qu'il emploie.

Danielle	Est-ce que vous pensez que les habitudes alimentaires des Français sont en train de changer? Est-ce qu'il y a des choses qui deviennent plus populaires, d'autres qui le deviennent moins?
M Fieffer	Bien sûr, il faut savoir qu'aujourd'hui, la femme travaille de plus en plus, ce qui veut dire journée continue, donc alimentation différente: plats cuisinés, surgelés, soupes déshydratées, comme *Bolino*, des purées toutes prêtes ... Ça change, ça change.
Danielle	Il y a combien de gens qui travaillent au Stoc?
M Fieffer	Ici nous sommes 87 personnes.
Danielle	87?!
M Fieffer	Oui. Plus la boulangerie, qui est une exploitation à part, mais 87 personnes. Nous travaillons avec des gens, beaucoup, à temps partiel.
Danielle	D'accord. Et ça, ça comprend qui alors, les 87?
M Fieffer	Les caissières, les pers- ... le personnel de boucherie, de fruits et légumes, le personnel de vente, le personnel de mise en rayon, d'épicerie liquide, le personnel de ... du bazar et du textile.

Danielle	Et puis, j'imagine, le personnel administratif?
M Fieffer	Bien sûr.
Danielle	Et ça, ça comprend combien de personnes?
M Fieffer	L'administratif?
Danielle	Oui.
M Fieffer	Trois personnes.
Danielle	D'accord. Et vous disiez à temps partiel, c'est-à-dire que il y a ... il y a beaucoup de femmes qui travaillent à mi-temps, ou il y a ... est-ce qu'il y a un personnel saisonnier?
M Fieffer	Non, c'est ... du personnel saisonnier, bien sûr, l'été, nous prenons des stagiaires vacances, en remplacement de notre personnel titulaire; mais l'ensemble du personnel caisse travaille à 25 heures, et dans le personnel de mise en rayon 30 heures.
Danielle	D'accord.

Bolino	*makers of instant 'in the pot' meals*
notre personnel titulaire	*our permanent staff*

* Faites une liste de tous les emplois mentionnés par M Fieffer.

* Expliquez en français ce que font les gens qui occupent ces postes.

3 En France, si l'on vous demande ce que vous faites dans la vie et que vous répondez 'je suis instituteur' ou 'je suis prof', tout de suite, on fera une plaisanterie sur la longueur de vos vacances. Mais il n'y a pas que des avantages dans le métier d'enseignant. Voici ce qu'en pensent Monsieur et Madame Poulin, qui travaillent tous les deux dans l'enseignement primaire.

Daniel	Est-ce que c'est un métier agréable quand même d'être enseignant en France?
M Poulin	C'est agréable si on aime les enfants, disons que les enfants sont agréables. Mais, autrement, le métier est sous-payé, on n'a guère d'avantages, à part quelques petites vacances, mais on a ... on a pas d'avantages sociaux, on est mal payés.
Daniel	Vous enseignez au CM1 je crois, c'est ça?
M Poulin	Oui, les enfants de neuf à dix ans ... (*Qu'est-ce qui ...*) – ou plus.
Daniel	Ou plus. Qu'est-ce qui vous embête le plus dans votre métier d'enseignant?
M Poulin	Ce qui m'embête le plus, c'est de répéter cent fois la même chose. C'est ... c'est hélas un peu notre métier.
Daniel	(*À Mme Poulin*) Vous enseignez à des plus petits: est-ce que vous aimez bien ce métier?
Mme Poulin	J'aime bien ce métier. Les plus petits, j'ai pas choisi, je pense que j'aimerais mieux enseigner à des plus grands. Les petits sont très intéressants mais très fatigants. À midi on est déjà fatigué! Et les plus grands, j'aime mieux parce que j'aime le scolaire, quoi.
Daniel	Vous êtes d'accord avec votre mari en ce qui concerne le métier, le fait que ça soit sous-payé, et cetera?
Mme Poulin	Oui, à la différence près que, pour une femme, je trouve que c'est un excellent métier qui permet aussi de s'occuper de ses enfants et de sa maison, parce que les horaires sont quand même pas impossibles comme les gens qui travaillent en usine ou ... Ça a ... un avantage pour une femme, c'est celui-ci.

CM1 = Cours Moyen, première année (la quatrième année de l'école primaire, qui accueille donc des enfants de neuf ans)	
c'est un peu notre métier	*it's more or less what the job's about*
j'aime le scolaire, quoi	*I like more formal teaching, you see*
le fait que ça soit	*the fact that it is*
à la différence près	*with the one difference*

* Qu'est-ce qui embête M Poulin?

* Et Mme Poulin, qu'est-ce qu'elle dit des plus petits?

* Comme la plupart des femmes, Mme Poulin a deux métiers: lesquels?

4 Ce que disait Madame Poulin aide sans doute à comprendre pourquoi la plupart des enseignants sont des femmes. Mais toutes les femmes sont loin d'être des enseignantes. Certaines se lancent même dans des entreprises de pointe et contribuent alors à créer des emplois. Ainsi, Christelle et ses amies ont fondé, à Rouen, une coopérative dont le personnel est exclusivement féminin et qui organise des stages de formation professionnelle, en techniques de vente, gestion d'entreprise et micro-informatique principalement.

Danielle	Alors, c'est une coopérative de ... Vous êtes que des femmes, je crois.
Christelle	Oui, nous sommes actuellement six femmes dans ... dans la coopérative.
Danielle	Comment on fait, alors, quand on veut monter une entreprise comme ça? Moi, j'ai aucune idée.
Christelle	Beh, quand on veut monter une entreprise il faut, à mon avis, d'abord dominer ... enfin, avoir une maîtrise professionnelle assez importante, parce que on va avoir des concurrents, et pour avoir des marchés, pour avoir des clients, donc pour faire du chiffre d'affaires, il faut absolument montrer qu'on est aussi – et plus, surtout quand on est des femmes – être plus performants que les autres, ou en tout cas plus disponibles, plus souples, plus adaptables. Ça, c'est donc une première chose. Et puis ensuite, et ben, ça veut dire, surtout quand on est plusieurs, avoir de très bonnes relations professionnelles entre toutes les personnes qui montent l'entreprise, surtout quand on est en coopérative.

vous êtes que des femmes	*you are women only*
comment on fait?	*how do you set about it?*
le chiffre d'affaires	*turnover*

* Faites une liste de tous les mots qui ont un rapport avec les affaires (*business*).

5 Par définition, une coopérative est une entreprise dans laquelle les employés sont tous propriétaires de l'outil de travail et ont donc tous le même pouvoir de décision. Christelle nous explique comment fonctionne *Anima*, la coopérative dont elle est l'une des fondatrices.

Danielle	La coopérative, donc, l'organisation collective, les prises de décisions, comment ça se passe? Est-ce que vous vous réunissez régulièrement?
Christelle	Oui.
Danielle	Avec plaisir?
Christelle	Oui! Oui, alors, la . . . la prise de décision, par rapport à la coopérative, euh . . . on la prend de manière . . . – comment dire? – assez démocratique, à savoir que on a des réunions très formelles à peu près tous les mois. Cette réunion dure une journée complète. Cependant, à partir de cinq heures et demie, on se retrouve dans notre bureau assez régulièrement tous les soirs, et puis, ben, on cause. On cause des problèmes qui viennent de se dérouler dans la journée, ou des problèmes plus fondamentaux, ou de projets qu'on est en train d'élaborer les unes et les autres, ce qui fait qu'en fait, les décisions sont quasiment prises avant la réunion formelle.
Danielle	Mais ça fait des longues journées?
Christelle	Oui. Ça fait de très longues journées parce que, bon, on finit très rarement avant 18 heures 30, 19 heures.

Danielle	Donc vous avez des semaines de plus de 40 heures.
Christelle	Ah oui, très nettement!
Danielle	Une petite question indiscrète: vous vous payez combien? Quel est le salaire des …?
Christelle	Alors, on se paye sur la même base. Pour l'instant on est payées 8300 francs, et on prévoit une augmentation de … d'environ cinq pour cent au mois de septembre.
Danielle	Avant ou après impôt?
Christelle	Euh, avant.
Danielle	Avant. D'accord.
Christelle	Ce qui n'est pas beaucoup!
Danielle	Non! *(Rires)*

les prises de décisions	*the taking of decisions*
à savoir	*that is to say, namely*
on cause des problèmes	*we talk about the problems*
les unes et les autres	*each of us*
le salaire	= le salaire d'un mois

* Les réunions formelles, quand ont-elles lieu? Et les réunions informelles?

6 Un mariage, c'est un peu comme la création d'une coopérative. Mais le partage des tâches ne se fait pas toujours très équitablement à l'intérieur d'une famille. Jugez-en vous-même d'après l'exemple de ces Lyonnais en camping: les femmes font la cuisine, les enfants se chargent de la vaisselle mais … que font donc les hommes?

Daniel	Vous faites votre propre cuisine?
1er monsieur	Oui, absolument. Enfin, c'est nos femmes qui font ça quand elles en ont envie, ou quand elles en ont le temps. Il faut quand même reconnaître que on a quand même bien mangé, là, ces derniers jours, hein? On a eu droit au bœuf bourguignon hier soir – faire ça en camping, c'est quand même une belle performance, je crois.
2ème monsieur	C'est la première année que ça se produit!
Daniel	Ah, mais elles arrivent, voilà, en vélo. Alors, mesdames, vous venez juste d'arriver, là, et vos maris nous ont dit que vous faites de la bonne cuisine mais pas très souvent. Alors, qu'est-ce que vous avez à répondre?
Dame	Nous ne cuisinons qu'une fois par jour, le soir, de préférence. À midi, il fait trop chaud.
Daniel	Oui, mais c'est déjà pas mal une fois par jour, non?
Dame	Ah ben, ça me suffit!
Daniel	Et qui est-ce qui fait la vaisselle dans toute l'histoire?
Dame	Ah, c'est pas nous! Pendant –
Daniel	Ce sont les hommes alors?
Dame	Pendant les vacances, aucune vaisselle. C'est pas les hommes non plus –
Fille	C'est les enfants. C'est toujours nous qui faisons la vaisselle. Alors on fait deux groupes et à chacun son tour: un jour c'est les uns et un jour c'est les autres, et puis on continue comme ça.
Daniel	Et vous êtes combien d'enfants?
Fille	On est cinq mais il y en a un qui a cinq ans, alors … (*Il compte pas*) Il rince lui.
Daniel	Est-ce que c'est ton tour aujourd'hui?
Fille	Non, c'était hier et ce sera demain.

ces derniers jours	*just lately, these last few days*
on a eu droit à	*we earned ourselves*
dans toute l'histoire	*in all this business*
à chacun son tour	*each has a turn*

✳ Quand est-ce que les femmes ne cuisinent pas, et pourquoi?

✳ Le petit garçon de cinq ans, qu'est-ce qu'il fait?

✳ Et les hommes, alors, que font-ils?

LE POURQUOI ET LE COMMENT

Talking about jobs

1 To say what someone's job is

je suis barman
elle est directrice/PDG
ils sont boulangers de père en fils

Note that generally you don't use the indefinite article with jobs, except after **c'est**

c'est un employé de banque
c'est une factrice

or where the profession is qualified with an adjective

Carole est une secrétaire très efficace
Christophe Lambert est un très bon acteur

2 To say who someone works for, use **chez** with a person or a company that's named after a person

il travaille chez mon père
je travaille chez Renault

otherwise, use **à**

| **elle travaille** | **à la Croix Rouge** |
| | **à la BNP (Banque Nationale de Paris)** |

Dans is used to say what trade or profession someone is in

mon fils travaille/est dans	**le bâtiment**	*the building trade*
	la restauration	*catering*
	l'enseignement	*teaching*

3 You may work

à plein temps   *full-time*
à mi-temps   *half-time*
à temps partiel   *part-time*

or

faire la journée continue   *work a continuous day with only a short lunch-break*
avoir un travail saisonnier   *have a seasonal job*

If you have no job at all, then you can say

| **je suis** | **au chômage** | *unemployed* |
| | **chômeur/chômeuse** | *an unemployed person* |

4 You might want to express satisfaction about your job

j'aime bien mon métier

c'est	**agréable**	
	intéressant	**comme travail/boulot**
	bien payé	

To express dissatisfaction, use phrases like

ennuyeux, pas (très) intéressant   *boring, not (very) interesting*
pas très enrichissant   *not very satisfying*
embêtant   *irritating*

c'est pas un boulot intéressant
c'est embêtant de répéter cent fois la même chose

To say you'd rather do something else, use **aimer mieux** as a synonym for **préférer**

j'aimerais mieux être président de la République

5   Then, finally, you can say

je prends/prendrai ma retraite en 1995	*I retire in 1995*
j'ai pris ma retraite en 1986	*I retired in 1986*
je suis à la retraite	*I'm retired*

Talking about doing things

To say what has to be done, use **il faut** + infinitive

il faut	avoir des contrats
	faire la vaisselle
	préparer le déjeuner
	construire dans le style du pays

This verb, **falloir**, does not have parts for **je, tu**, etc, but the **il** part does exist in all tenses (see p 160). It's the equivalent of *you have to ..., one has to ...*, etc.

If you want to make it clear who is involved then use **il faut que** + subjunctive (see p 136)

il faut que les enfants fassent la vaisselle	*the children have to do the washing up*

If you just say **il faut faire la vaisselle** you may end up doing it yourself.

Il faut + noun means something is needed

pour ouvrir une bouteille il faut un tire-bouchon	*to open a bottle you need a corkscrew*

To indicate *who* needs the corkscrew, add an indirect object pronoun

il me faut	un tire-	*I need ...*
il lui faut	bouchon	*he/she needs ...*

which is the equivalent of using **avoir besoin de**

j'ai besoin d'un tire-bouchon

Conversational signposts (3)

You can introduce a necessary fact

il faut savoir que ...	*you have to take into account that ...*

differentiate between groups of people/things

il y a des gens qui aiment la montagne et d'autres qui préfèrent la mer

make a comparison

on est aussi performantes que les hommes

explain what something amounts to

ce qui veut dire que ...
ce qui fait que ...

and bring in the next idea

et puis, ensuite

DES MOTS ET DES CHOSES

la direction

as well as *direction*, means *the management* in the concrete sense of someone you can complain to. You'll see this sort of notice in hotel rooms:

> **La direction vous prie de bien vouloir quitter**
> **votre chambre avant midi le jour de votre départ.**

un directeur / une directrice

is a *director* or *manager*, someone in charge of a particular department or the top man or woman: **le président directeur général (le PDG)** – *the chairman and managing director*.

So where does the English word *manager* come from? **Un ménager** was an administrator in mediaeval times but the word doesn't exist any more. However, **le ménage** is the *household*: hence **faire le ménage** – *to do the cleaning*; **une femme de ménage** or **une aide-ménagère** – *a cleaner* or *daily help*. **Une ménagère** is *a housewife*. So the nearest thing these days to an English manager is a French housewife!

performant

is a recent word derived from **la performance** and originally used for electronic systems which gave a high performance. The word has now been transferred to the economic field and is used of businesses that do well: **Rank Xérox est une entreprise performante.**

une société

can mean *society* in much the same way as in English, but it also means *a commercial company*. The letters **SA** at the end of the company name stand for **Société Anonyme**, the equivalent of *PLC – Public Liability Company*.

Other words with a similar meaning are **une compagnie, une entreprise, une firme.**

la formation

in an educational context means *training*. The equivalent verb *to train* is **former**, and *a training course* is **un stage (de formation)**. Someone on a training course is **un(e) stagiaire**, and **un(e) apprenti(e)** will be doing **un apprentissage**.

Expressions à retenir

de plus en plus
en tout cas
travailler en usine
environ cinq pour cent
je n'ai (or j'ai) aucune idée
comment ça se passe?
(à) chacun son tour

EXERCICES

1 Say what jobs these people do and where they all work, eg **Jean-Paul est barman, (il travaille) au café de Flore.**

le café de Flore   la boulangerie Baguette
une compagnie pétrolière l'école maternelle
la Croix Rouge   un supermarché

2 Match each definition with the most appropriate word in the list below.

1 Elles ont leur PDG et leurs cadres.
2 Aux puces, aux fleurs ou au change.
3 Excuse utilisée par la secrétaire du patron: 'M Dupont est en ...'
4 Qui n'a pas besoin de préparation.
5 Parler familièrement.
6 Grâce à elle, vous serez plus riche ou moins pauvre.
7 Plat régional bien connu.
8 Ils peuvent être bons ou fidèles.

causer	les entreprises	mal payé
les clients	la vaisselle	réunion
le marché	une augmentation	tout prêt
le bœuf bourguignon		

There are two words left over – write your own definitions for them.

3 Using **il faut**, how would you say

1 You have to find customers.
2 The children must do the washing-up.
3 I need a tin-opener.

4 What he needs is a good night's rest.
5 You must go and take a 'cure'.
6 You'd need a computer to calculate all the risks.
7 We must be there at ten o'clock.
8 You mustn't swim straight after a meal.

4 Bernard and Martine are friends of yours. Another acquaintance is rather keen on Bernard and interested to find out about him.

Friend Et Bernard, qu'est-ce qu'il fait comme travail?
You (*He's a barman at the Café des Vosges. It's a very hard job and pretty boring.*)
Friend Ah bon?
You (*He works full-time, but he does four hours in the morning and four hours in the evening.*)
Friend Ah, et il commence à quelle heure?
You (*At ten o'clock, and he doesn't finish before eleven at night.*)

Friend	Eh ben, dis donc! Même s'il rentre chez lui entre les deux, ça doit lui faire des journées drôlement longues.
You	(*Yes, and what's more he sometimes has to work weekends, so he doesn't see very much of his wife Martine. She works in a supermarket.*)
Friend	Qu'est-ce qu'elle fait?
You	(*She used to work part-time as a secretary, but now she's the manager.*)
Friend	Non? Ça alors! Pour une promotion, c'en est une!
You	(*She has a very long day but she's well-paid, and she gets reductions on everything she buys.*)
Friend	Ça, c'est intéressant!
You	(*And she gets six weeks holiday a year.*)
Friend	Y en a qui ont vraiment de la chance, hein. Ta copine Martine a vraiment trouvé le bon boulot – et le bon mari aussi!

5 You're being asked about your job.

Et qu'est-ce que vous faites dans la vie?
Say what your job is and where you work. If you're unemployed or retired, say that, and say what your job was and where you worked.

Et ça vous plaît?
Say whether you like/liked it.

Et y a des choses que vous n'aimez pas dans votre travail?
Say what irritates/irritated you in the job.

6 Make sense of this extract from an interview with the **directrice** of a **centre aéré** by filling in the missing words from the list below.

Danielle	Alors, ces animateurs, qui sont-ils dans la vie?
Directrice	Bon, alors, quand on parle d'animateurs aujourd'hui, ce qu'il faut ...., c'est que les choses ont pas mal changé depuis une dizaine d'années, ... autrefois les animateurs, c'étaient .... des lycéens ou des étudiants qui faisaient ça pendant les congés scolaires, ... qu'ils n'avaient pas toujours de véritable formation d'animateurs. .... maintenant c'est un peu différent avec le chômage qu'il y a à l'heure .... qu'il y a beaucoup de gens qui sont chômeurs et qui font de l'animation ...., le mercredi, pour avoir une occupation qui les oblige à sortir un peu de chez eux. .... on a un mélange de lycéens et de gens plus âgés, et il me .... que c'est bien pour les enfants.

une fois par semaine	savoir	surtout
c'est-à-dire	actuelle	mais
parce que	donc	ce qui veut dire
semble		

7   Read this short magazine article and answer the questions.

UNE SIRÈNE D'URGENCE

Nous sommes en 1979. Valérie est dans sa chambre, immeuble les Marronniers. Soudain, le paysage qu'elle a l'habitude de voir depuis des années de sa fenêtre s'enflamme. Le Garlaban brûle! 'Papa je veux y aller, il faut faire quelque chose.' C'est à ce moment-là que Valérie Floiras a découvert qu'elle voulait devenir pompier. 'Cela s'est passé tout simplement explique-t-elle. Une rencontre avec M. Tardito, puis le Commandant Gaia, entre-temps le brevet de secourisme, des tests, de nombreux stages et des interventions sur le terrain …' Depuis, les travaux les plus durs ne lui font pas peur. En dehors de ça nous dit-elle 'j'ai la vie normale d'une jeune fille de 21 ans, j'aime beaucoup le cinéma, la danse et j'adore les spaghettis à la bolognaise'. Quand la sirène retentit c'est différent! 'Où que je me trouve, même dans les plus agréables situations … je pars, rejoindre la caserne.'

(*Le Garlaban – une montagne près d'Aubagne*)

1   What made Valérie want to become a firewoman?
2   What did she have to do to qualify?
3   What's the drawback of her job?

8   Listen to Lieutenant-Colonel Jean-Richard of the Foreign Legion on cassette 2, and then answer the questions.

1   What question should you never ask a legionnaire?
2   What was Lt-Col Jean-Richard like as a young man?
3   How long did it take him to 'find himself'?
4   What did his parents do when he joined the Foreign Legion?
5   What offer did his Colonel make him, and why?

La mascotte de la Légion?

9 SOCIÉTÉ

Saying what you'd like to happen, what you want to happen, and what you think should be the case

The use of the subjunctive

1 Dans ses efforts pour dominer la nature, l'homme du XXème siècle a tendance à se montrer très destructeur. Certains s'en inquiètent et essaient de protéger l'environnement. C'est pourquoi il existe en France des lois qui règlementent la chasse. Mais la législation n'est pas partout la même et Gilbert, qui est un chasseur pacifique, s'en plaint.

Daniel   Je crois qu'il y a pas mal de chasseurs par ici?
Gilbert   Ah oui, pas mal de chasseurs, et puis il y a pas mal de gibier aussi.
Daniel   Et vous allez vous-même à la chasse?
Gilbert   Ça m'arrive, mais maintenant de moins en moins.
Daniel   Pourquoi?
Gilbert   Parce que je m'aperçois que le chasseur détruit beaucoup.
Daniel   Pourtant la chasse est réglementée ici, n'est-ce pas?
Gilbert   Oui, mais pas assez, pas assez, parce que … Je connais un peu la réglementation qu'il y a dans l'est de la France, elle est beaucoup plus sévère qu'ici. Tandis qu'ici le chasseur, lui, il faut qu'il détruise, et c'est très mauvais pour … pour le gibier.
Daniel   Et vous aimeriez qu'il y ait, ici, une législation beaucoup plus stricte?

Gilbert Ah oui, j'aimerais. J'aimerais, et justement je ferais partie de cette association justement, parce que j'aimerais que ... que mes enfants puissent voir le gibier comme il y a, là, 20 ans ou 30 ans en arrière. Même moi, au début que je chassais, je voyais beaucoup plus de gibier que maintenant; maintenant, lorsque que je vais chasser, bon ben, c'est plutôt pour aller promener, pour prendre l'air, pour me distraire, que pour aller tuer le gibier.

comme il y a 20 ans ou 30 ans en arrière	*as there was 20 or 30 years back*

* Pourquoi est-ce que Gilbert chasse de moins en moins?

* Qu'est-ce qu'il voudrait pour ses enfants?

2 En France, on estime à 500 000 le nombre des personnes qui ne mangent pas à leur faim. Souvent, il s'agit de chômeurs arrivés en fin de droits et qui ne touchent donc plus d'allocation chômage. C'est pourquoi Coluche, un acteur comique français, a lancé, avec l'aide de plusieurs écoles de commerce, l'opération des Restaurants du Cœur. Olivier est étudiant à l'École Supérieure de Commerce de Lille, et il s'occupe très activement des Restaurants du Cœur sur la région du Nord-Pas de Calais.

Coluche

Corinne   Alors, Olivier, est-ce que tu peux m'expliquer un petit peu ce que c'est que les Restaurants du Cœur?

Olivier   Tout à fait. Les Restaurants du Cœur, c'est une organisation à but humanitaire, charitable, donc, qui a pour but de donner, de distribuer pendant la période d'hiver – donc, du 21 décembre au

21 mars – 200 000 repas par jour à l'échelle nationale – donc, sur toute la France – et 30 000 repas par jour sur la région Nord-Pas de Calais simplement. Donc, on fait une répartition à ce niveau-là pour que tout le monde puisse manger sur la région, et on prévoit d'envoyer tant de ... 50 tonnes de pommes de terre à tel endroit, 10 000 boîtes de conserves à tel autre endroit, pour que il y ait un repas équilibré. Je crois qu'il est peut-être important de dire ça: les gens ne vont pas manger uniquement que des pommes de terre ou que des boîtes de conserves. Ils auront des légumes, que ça soit des salades, des carottes ou justement des pommes de terre, mais il y aura aussi des gâteaux, des bonbons pour les enfants, justement pour Noël, et nous avons même du Beaujolais, qui sera distribué justement le 24 et le 25 décembre.

Corinne   Ah, très bien, très bien!

Olivier   Donc, on va essayer de faire quelque chose qui soit français, c'est-à-dire qu'on mangera du fromage et du vin aussi –

Corinne   Oui, pour que ça fasse un petit peu un repas de fête?

Olivier   Tout à fait. Donc on va essayer de faire justement ... de prévoir un repas supérieur au 25 décembre ... pour le 25 décembre.

à ce niveau-là	*on that level, in that way*
à tel endroit ... à tel autre endroit	*to one place ... to another*
que ça soit	*whether it be*

* 'A but humanitaire' – expliquez ce que signifie cette expression en français.

* Qu'est-ce qu'on offre à manger de typiquement français dans les Restaurants du Cœur?

3 Malheureusement Coluche s'est tué dans un accident de moto quelques mois après le lancement des Restaurants du Cœur. Mais sans son initiative, ils n'auraient sans doute pas vu le jour. Et pourtant, si l'opération a remporté un tel succès, c'est aussi grâce à l'élan de solidarité qu'elle a rencontré chez un certain nombre de Français: beaucoup de gens ont envoyé des dons, d'autres se sont portés volontaires pour travailler bénévolement dans les centres de distribution, certaines municipalités ont mis des locaux à la disposition de Coluche et de son équipe, et les médias ont fait de la publicité gratuitement. ... Pour Olivier, c'est le signe que 'la France bouge'.

Olivier On a fait des choses pour l'Éthiopie, on a donné de l'argent, on a donné de la nourriture aux Éthiopiens – en France il y avait des gens qui mouraient de faim. Bon, pourquoi ne pas leur donner justement de la nourriture à ce niveau-là. Et je crois que c'était peut-être important, c'est une démarche qui est totalement différente de celles des ... précédentes, parce qu'on fait appel aux personnes justement qui en ont besoin. C'est-à-dire, ce sont les personnes qui ne mangent pas, qui sont chômeurs, qui vont nous aider justement à distribuer ces paniers-repas, à faire tout, à stocker la nourriture, à charger, décharger les camions. C'est donc toute une organisation de solidarité entièrement (*oui*) sur toute la France.

Corinne Et les gens autour de toi, les Lillois autour de toi, comment est-ce qu'ils réagissent à cette opération?

Olivier Ben, au niveau des gens que j'ai contactés, ils nous ont dit 'Nous, on veut vous aider. On est, par exemple, un groupe de 20 personnes, et on a pré-... un point de distribution, on a un local, on a des chaises, et on attend plus que la nourriture pour ... justement pour la distribuer.'. Par exemple, on a eu près de ... près de Maubeuge, à Ferrière-la-Grande, sur un village qui comporte 5600 habitants, il y a plus de 100 personnes qui sont bénévoles pour nous aider justement à distribuer ces paniers-repas. Je crois que la France se bouge, et je crois que c'est peut-être important à dire – c'est un nouveau slogan: 'Bougez-vous, la France bouge!'. Ils sont motivés pour faire quelque chose justement, et ça c'est une nouveauté en France – la France bouge.

* Expliquez la phrase d'Olivier: 'On fait appel aux personnes justement qui en ont besoin'.

* Expliquez ce qu'il veut dire par 'la France bouge!'.

4   En cette deuxième moitié du XXème siècle, l'un des problèmes
essentiels qui se posent à la société française est celui de
l'immigration. Depuis la fin de la deuxième guerre mondiale, la
France a accueilli beaucoup de travailleurs immigrés, originaires
pour la plupart des pays musulmans. Leurs enfants, nés ou
entièrement élevés en France, se trouvent ainsi pris entre deux
cultures, entre deux civilisations, et cela crée parfois des conflits
insolubles entre ces jeunes gens, qu'on appelle les 'beurs', et
leurs parents. En particulier en ce qui concerne les mariages
organisés qui sont encore une tradition dans de nombreuses
sociétés.

Myrna

Corinne	Moi, je sais que un certain nombre d'amis que j'ai en France, qui viennent non pas du Liban mais de . . . d'Afrique du Nord, d'Algérie ou de Tunisie ou du Maroc, ont des problèmes, les filles en particulier, quand elles arrivent à un certain âge, parce que il faut se marier, et les parents veulent absolument les marier à des gens qui soient de la même origine, qui viennent aussi d'Afrique du Nord, qui aient la même religion (*oui, oui*); et il y a le mariage organisé (*oui*). C'est le même problème pour les filles libanaises?
Myrna	Euh, disons que, filles libanaises et arméniennes, c'est la même chose mais disons que mes parents, ils me disent toujours 'Tu maries qui tu veux', mais je sais très bien qu'il doit être chrétien, qu'il doit être arménien, enfin . . .
Corinne	Mais on t'imposera pas, on t'imposera pas, euh . . . ?
Myrna	Non, mais enfin, bon, ils seront très (*oui*) . . . très fâchés quoi (*oui*). Non, mais ils me . . . ils imposent pas, mais disons quand même ils préfèreraient, quoi. Mais moi je pourrais pas.
Corinne	Oui. Moi, je te comprends! Moi, rien que l'idée qu'on pourrait m'imposer la personne avec qui je me marierais ou avec qui je vivrais, ça me fait dresser les cheveux sur la tête! Et à Maurice,

133

	c'est ... c'est comment? Les femmes, elles ont quelle position à Maurice?
Marie Arlette	Oh, les femmes, c'est plutôt un peu servile.
Corinne	Oui?
Marie Arlette	Un peu, oui, parce que la population ... On a ... presque deux tiers de la population est d'origine hindoue; et donc, c'est la femme au foyer qui écoute son mari, qui s'occupe des enfants, mais ça change un peu. Il y a un mouvement féministe à Maurice en ce moment –
Corinne	Oui?
Marie Arlette	Oui, et ça ...
Myrna	Progrès!
Marie Arlette	Oui. Et ça commence à changer un peu. Et le mariage organisé, ça existe toujours, mais disons que maintenant, avec les temps modernes, ça ne marche pas tellement!
Corinne	Ça a pas marché dans ton cas?
Marie Arlette	Non, non, pas dans le mien!
Corinne	Mais comment ça se passe, un mariage organisé, alors? Il y a des marieuses encore? Parce qu'en France, il y avait ce qu'on appelait les marieuses, qui présentaient ...., et puis dans beaucoup de pays il y avait ça.
Marie Arlette	Ah oui, oui, oui, ça existe toujours à Maurice, les marieuses. J'en connais quelques-unes!
Corinne	Oui, oui?
Marie Arlette	Et qui, très subtilement, ... elles viennent et regardent de haut en bas, et elles ont quelqu'un en tête, un beau jeune homme, bien de sa personne.
Corinne	Encore s'il est beau et bien de sa personne!
Myrna	Pourquoi pas!
Corinne	Après tout ...
Marie Arlette	D'après la marieuse, hein?!
Corinne	Ça, ou rencontrer le jeune homme en question dans l'autobus ou dans le métro, pourquoi pas?
Marie Arlette	Oui, mais ça change à Maurice maintenant, parce que les jeunes, mes nièces et mes neveux, ils font tous des mariages d'amour maintenant. Mais disons que c'est de- ... à demi arrangé, parce que quand même la famille y a une grande part (*oui*), oui, un grand rôle à jouer, tout (*oui*), mais ça change (*oui*), pour le meilleur je veux dire. J'ai dit ça mais je me trouve quelquefois une vocation de marieuse, enfin, en passant légèrement, parce que je ... j'organise toujours des petites parties, j'ai des copines et des copains et je veux toujours les présenter l'un à l'autre (*oui*) – pas en vue de mariage, mais ...
Corinne	Oui, enfin –
Marie Arlette	C'est-à-dire que (celle) à qui j'ai destiné tel partenaire, elle s'en va avec quelqu'un de complètement différent! Ça marche pas du tout! *(Rires)*

tu maries qui tu veux	=tu te maries avec qui tu veux
Maurice	*Mauritius*

ça a pas marché dans ton cas?	*that didn't happen in your case?*
qui présentaient	*who introduced people*
encore s'il est bien de sa personne!	*at least it's not so bad if he's good-looking!*
en passant	*flippantly speaking*

* Qu'est-ce qui fait dresser les cheveux sur la tête à Corinne?

* Une marieuse, qu'est-ce qu'elle fait?

LE POURQUOI ET LE COMMENT

The subjunctive

... pour que tout le monde *puisse* manger
vous aimeriez qu'il y *ait* une législation plus stricte?
... des gens qui *soient* de la même famille

This form of the verb is called the subjunctive. In English the subjunctive has almost disappeared. *If I were you* is now being replaced by *if I was you*, and *if that be so* is only said by lawyers.

In French, the subjunctive is still in use. Its formation is easy (see p 158), but its use is complicated. As its appearance and pronunciation are often the same as the ordinary present tense, this doesn't always turn out to be a problem.

In some cases you can say that the subjunctive expresses uncertainty, doubt, emotions; but there are many grey areas, and the safest way is to note which expressions require the subjunctive and to learn them as they come along.

Here are some examples:

1 pour que – *in order that, so that*

pour que tout le monde puisse manger	*so that everyone can eat*

2 avant que – *before*

avant qu'il y ait un barrage	*before there was a dam*

It's also frequently used with **après que**.

3 aimer que – *to like someone to do something*

j'aimerais que mes enfants puissent voir le gibier	*I would like my children to be able to see the game*

Other verbs which express wishes and desires also take the subjunctive

ils veulent qu'on ait une tradition	*they want us to have a tradition*

135

4 When **qui** introduces a phrase about something that exists as an idea rather than an actual thing it takes the subjunctive

des gens *qui soient* de la même origine, *qui viennent* aussi d'Afrique du Nord, *qui aient* la même religion

Compare

j'ai une voiture *qui fait* du six litres aux 100 (kilomètres)	*I have a car that does 50 miles to the gallon*

with

je cherche une voiture *qui fasse* du six litres aux 100 (kilomètres)	*I'm looking for a car that does 50 miles to the gallon*

5 When **que** is used to give alternatives the verb (in this case **être**) is in the subjunctive

ils auront des légumes, *que* ça *soit* des salades ou des pommes de terre

6 Il faut que ... – *it is necessary that ..., you (etc) have to ...*
il faut qu'il détruise   *he has to destroy*

It is important not to get over-anxious about the subjunctive. No-one will misunderstand you if you fail to use one in the right place. Usage changes and even the French themselves make 'mistakes'. For example, **penser que** and **croire que,** when used in the negative, are supposed to be followed by the subjunctive, but Pierre in Chapter 7 says: **Je ne crois pas que ça tient au fait,** where, strictly speaking, he should have used **tienne.**

DES MOTS ET DES CHOSES

marier

means *to marry*, ie to perform the marriage ceremony: **c'est le curé de St Eustache qui les a mariés.**

Se marier (avec) means *to get married (to):* **elle se marie samedi.** You can also use **épouser,** but then you have to say who the lucky person is: **elle épouse Simon.**

foyer

originally means *hearth*, and so has come to mean *home* with all its emotive associations. It's used in phrases such as: **c'est une femme au foyer** – *she's a housewife;* **le foyer des jeunes travailleurs** – *young people's hostel.*

une boîte

is the usual word for *a box* of any sort, but also for a *tin* or *can* of food. In colloquial speech the word is also used for the place where you work. **Une boîte de nuit** is *a nightclub.*

une salade

is *a salad* of course, but also simply *a lettuce*. **Raconter des salades** is *to tell stories*, in the sense of lies: Sabine in Chapter 5 says **je lui ai raconté toutes mes salades** – *I made my story sound as good as possible.*

Expressions à retenir

ça (*or* il) m'arrive de . . .
se passer de
faire partie de
c'est comment?
au niveau de
faire appel à

EXERCICES

1   Can you recognise these verbs from their subjunctive forms? Write down the infinitive in each case.

1 Je préfèrerais qu'on *fasse* une réglementation plus stricte.
2 On prépare des repas pour que tout le monde *puisse* manger.
3 Ils cherchent toujours des gens qui *aient* la même religion.
4 On va faire quelque chose qui *soit* bien français.
5 *Veuillez* patienter s'il vous plaît.
6 Pour autant que je *sache*.

2   Work out what words have been obscured by the strips. You can check your answer by looking back at p 134.

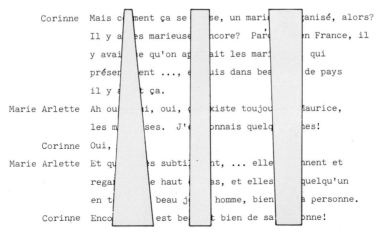

```
Corinne         Mais c  ment ça se     se, un mari   anisé, alors?
                Il y a  s marieuse  ncore?  Par    n France, il
                y avai  e qu'on a   ait les mar      qui
                présen  ent ...,    uis dans bea     de pays
                il y a  t ça.
Marie Arlette   Ah ou   i, oui,   xiste toujou   aurice,
                les m   ses. J'    nnais quel   es!
     Corinne    Oui,
Marie Arlette   Et qu   s subti   t, ... elle    nnent et
                rega   e haut    as, et elles   quelqu'un
                en t    beau j   homme, bien    a personne.
     Corinne    Enco    est be  t bien de sa   nne!
```

3   Translate Corinne's remark on pp 133–4: **'Oui. Moi je te comprends ...... position à Maurice?'**. Make sure your English sounds natural and not like translated French. When you are satisfied with it, close the book and translate it back again into French. Then check your translation with the original.

4   Corinne is horrified at the thought of an arranged marriage, and Myrna and Marie Arlette are against the idea. During their conversation, though, they touch on some features of arranged marriages that other people might use as arguments in favour. Make a list of them in English. Can you think of others?

5   You're talking to a Swiss friend about les Restaurants du Cœur.

You (*Ask your friend if she has heard of* Les Restaurants du Coeur.)

Friend Non. Qu'est-ce que c'est? Une nouvelle chaîne de restaurants comme ceux qu'il y a sur les autoroutes?

You (*No, not at all. Explain about Coluche setting up this organisation to give food to people who can't afford to buy it, especially the unemployed.*)

Friend Ah, d'accord, je vois. C'est une opération charitable, quoi. Vous avez des restaurants comme ça en Angleterre?

You (*No, not really. But explain that where you live, in Windsor, you're going to organise a concert for the unemployed in the area.*)

Friend Ah bon? Mais ça doit demander un gros travail d'organisation, non?

You (*Yes, but a lot of people have already contacted you to say they want to help. As far as the music's concerned, there are some well-known singers who are prepared to take part for nothing. The most difficult part of it is finding the venue* (le local). *You're going to write to the vicar to ask if you can use the church. You don't think he'll refuse.*)

Friend Effectivement. Ça serait étonnant de la part d'un curé. Remarque, tu aurais pu demander à la Reine la permission d'utiliser une des salles du château. C'est pas la place qui manque là-bas!

6   The following exchange of letters between Mme A G and the local mayor was printed in the **Aubagne Magazine** put out by the Aubagne **Service d'Information Municipale** (over page).

1   What rumours **(des bruits)** has Mme A G heard?
2   What had the residents been told at a meeting with the mayor?
3   Why in particular are she and her husband concerned about the rumours?
4   What reply does she receive from the mayor?
5   What will Mme A G do next time when she hears the gossip **(ces colportages)**?

RUMEURS ...

'... Des bruits courent actuellement sur le fait que la Mairie projette de construire des logements sur le terrain du chemin des Cressauds appartenant à M. Rigaud et juxtaposé à l'école maternelle, faisant face à mon habitation.

Lors d'une réunion tenue l'année dernière en présence des habitants du quartier, M. le maire nous avait informé d'un projet tout à fait différent. Il était question d'un complexe sportif, d'une piscine, d'une maison de retraite. Vous comprendrez aisément mon inquiétude car (et comme la plupart des habitants du quartier) mon mari et moi-même avons consenti à de lourds sacrifices pour avoir droit à la tranquillité. C'est la raison pour laquelle je vous demande de bien vouloir me renseigner afin de savoir si oui ou non ces bruits persistants ont une raison d'être ...'

Mme A.G.

Réponse

... Lors d'une réunion dans votre quartier et à la demande de ses habitants, je me suis engagé à ne laisser réaliser sur le terrain Rigaud que des équipements de loisirs et non des logements.

... SANS FONDEMENTS

Monsieur le Maire,
Je reçois ce jour, avec beaucoup de plaisir, votre lettre et vous en remercie. Ce courrier me prouve, si besoin était, que j'ai eu raison de ne pas porter crédit aux bruits qui couraient dans le quartier et qui risquaient de s'amplifier.

Je pourrai maintenant répliquer lorsqu'on me soutiendra à nouveau cette fausse nouvelle que ces colportages n'ont aucun fondement.

Mme A.G.

---

7 Listen to the conversation about **le patriotisme** between Daniel and Monsieur Chupin on cassette 2.

1 What did M Chupin do in the war?
2 What does he think about the level of patriotic feeling in France today?
3 What loyalties might be taking the place of patriotism?
4 What might follow as a result of decentralisation?
5 What kind of power has Paris retained?

COMMUNICATION

Talking about language and making yourself understood

Expressing annoyance and distress

1 Quand on est commerçant, hôtelier ou restaurateur dans une région très touristique, on a souvent affaire à des étrangers. C'est le cas de Suzon, la propriétaire de la Pizzéria du Rocher. Comment expliquer à des clients ce qui est écrit sur la carte et prendre leurs commandes quand eux comprennent à peine le français et que vous ne parlez pas leur langue? Suzon a trouvé la solution.

Daniel   Vous avez beaucoup de touristes qui passent ici, de vacanciers?
Suzon   Ah oui, beaucoup d'étrangers.
Daniel   Oui?
Suzon   Oui.
Daniel   De quels pays viennent . . .?
Suzon   Alors, nous avons des . . . beaucoup de Hollandais, de Belges, d'Anglais . . . Oui, c'est les trois qui dominent, hein?
Daniel   Ils vous parlent en français ou . . .?
Suzon   Eh bien, écoutez, quelquefois non, hein? Quelquefois . . . alors je fais les gestes. Par exemple, vous voulez un fromage de chèvre, ils savent pas ce que c'est, alors je dis 'Bêêê!', et ils ont compris. Voilà! Le plus dur c'est le . . les Allemands. Alors là je comprends

141

absolument rien, même avant ... en faisant des gestes c'est dur. Là vraiment ...

Corinne   Ah bon?

Suzon   Oui, oui.

Corinne   Pourquoi?

Suzon   Eh, je sais pas. Alors, on a quelquefois la chance qu'ils amènent leur petit dictionnaire là, français-allemand.

Corinne   Oui.

Suzon   Alors on cherche – on trie avant le dîner, on fait un petit tri: 'Ah ça, ça veut dire ceci, ah ça, ça veut dire cela.' Alors on se débrouille. Voilà. On finit par se comprendre. Dur dur.

*   **Qui sont les étrangers qui viennent chez Suzon, et quels sont ceux avec qui elle a le plus de mal à communiquer?**

*   **Quels sont les trois moyens de communication qu'elle emploie?**

2   Tout le monde n'a pas forcément les mêmes facilités pour apprendre une autre langue. Madame Deshayes qui est, elle, bilingue depuis sa plus tendre enfance, est désolée de voir son mari s'efforcer en vaiň de prononcer une langue étrangère.

Mme Deshayes   Je suis d'origine italienne – pas tout à fait: mon père est italien, ma mère était française. Et il se trouve que, par un hasard heureux je dirais, j'ai l'italien en langue maternelle, comme le français.

Danielle   Vous parlez anglais?

Mme Deshayes   Du tout. Du tout, du tout, je ne parle pas du tout anglais.

Danielle   Une autre langue?

Mme Deshayes Je me débrouillais mieux en espagnol qu'en anglais, il faut l'avouer, mais pour quelqu'un qui connaît l'italien, l'espagnol est évidemment très facile.

Danielle Votre mari, vous disiez, a du mal, lui, avec les langues?

Mme Deshayes Oui, beaucoup, et c'est ... Ça me ... ça me chagrine, ça me peine, car il fait énormément d'efforts. Pour la prononciation, il n'a aucune aptitude, et j'ai pu le remarquer avec l'italien où il s'amuse, et il essaie de répéter des mots, et c'est à chaque fois massacré! Et personne ne peut le comprendre. Malgré tous les efforts, il n'a pas d'aptitude phonétique.

Danielle Et ça vous agace un petit peu?

Mme Deshayes Non, ça me peine. Ça me peine, et je trouve que c'est injuste. C'est bien pénible!

＊ **Quelles langues est-ce que Mme Deshayes parle?**

＊ **Pourquoi est-ce que personne n'arrive à comprendre le pauvre M Deshayes quand il parle italien?**

3 Vous connaissez déjà l'histoire de Myrna et son itinéraire: Beyrouth, Bruxelles puis Londres. Il n'est donc pas étonnant qu'elle parle cinq langues. Pour Marie Arlette, les choses sont plus simples. Née à l'Île Maurice, dont c'est la langue officielle, elle a appris le français étant bébé.

Corinne Tu viens du Liban –

Myrna Oui –

Corinne Tes parents sont arméniens –

Myrna Voilà –

Corinne Et t'as vécu à Bruxelles. Alors (*voilà*), tu parles combien de langues?

Myrna En fait, je parle cinq langues: l'arabe, l'arménien, le français, l'anglais et l'espagnol.

Corinne Attends! Et ta langue maternelle dans tout ça, qu'est-ce que c'est?

Myrna Mais c'est très compliqué. Donc ma langue maternelle c'est ... J'ai grandi avec l'arabe et l'arménien, mais j'ai toujours été dans une école française, donc c'est la langue que je parle le mieux, et je peux la lire et l'écrire.

Corinne Et toi, Marie Arlette, alors, ta langue maternelle?

Marie Arlette C'est le français, mais on a aussi le ... un dialecte français qui ... à Maurice s'appelle le créole, le patois, que tout le monde parle, et qui est très intéressant parce que c'est dérivé du français; et on dit même que c'est ... ça a beaucoup de mots du vieux français, et même des termes ... des termes de marine. On dirait à quelqu'un si ..., comme Myrna, elle a un rhume, on dirait 'Tu vas amarrer ton cou avec un foulard', comme ...

Corinne 'Tu vas amarrer ton cou' – comme on amarre un bateau, c'est ça?

Marie Arlette Oui, oui.

143

Corinne   Oh, c'est marrant ça!
Myrna   Oui, c'est drôle!

* **Pourquoi est-ce le français que Myrna parle le mieux?**

4 Myrna, Corinne et Marie Arlette sont toutes les trois dans le même cas: francophones, elles vivent maintenant à Londres. Elles doivent donc jongler avec les deux langues et choisir celle qui convient le mieux en fonction de leur interlocuteur. Comment font-elles exactement?

Corinne   Chez toi tu parles …?
Marie Arlette   Chez moi, avec mon mari, je lui parle en anglais, mais il comprend très bien le français, et je parle en français à ma petite fille de dix mois.
Corinne   Et toi, Myrna, tu parles quoi, chez toi?
Myrna   Avec mon frère, parce que je vis ici avec mon frère, le français.
Corinne   Oui.
Myrna   Et avec mes amis à Londres en anglais, ça vient plus vite je trouve.
Corinne   Et quelquefois ça vous arrive de préférer utiliser une langue, parce que la situation s'y prête mieux? Parce que moi, je sais, par exemple, que, ici, il m'arrive de temps en temps de vouloir … de réagir en français parce que j'ai envie de montrer que je suis française, par exemple. Et puis, par contre, je sais quand je retourne en France et que je suis dans le métro, souvent la première chose qui vient c'est l'anglais (*l'anglais, oui*), parce que c'est plus pratique quelquefois aussi. Quand quelqu'un essaie de me taper du fric, 'T'as pas cent balles?', dans le métro, et ben, je lui réponds 'Sorry, I don't understand, I don't speak French', et puis comme ça, ça me permet de m'en débarrasser. (*Ah oui*) Vous avez ce genre de réaction?

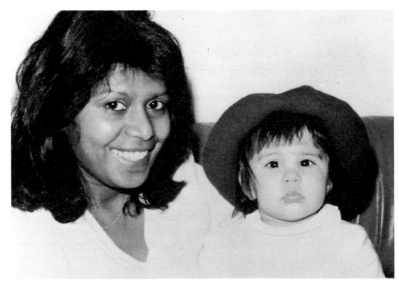

Marie Arlette
et Natasha Angélique

Marie Arlette Euh, ben, comme je te dis, je parle en français à ma petite fille. Je ne crois pas que je pourrais jamais lui parler dans une autre langue que le français. J'ai essayé de lui dire quelques mots en anglais, peut-être, mais ça fait très bizarre, très étrange, je ne peux pas. Ah oui, je ne peux lui parler qu'en français.

du fric	*money*
ça fait très bizarre	*it feels very odd*

* **Dans quelles circonstances est-ce que Corinne parle anglais en France?**

* **Pourquoi est-ce que Marie Arlette parle français à sa petite fille?**

5 Olivier disait au chapitre précédent que la France bouge. Le français aussi bouge, change, s'enrichit de nouvelles expressions dont certaines disparaissent très vite tandis que d'autres se maintiennent et entrent définitivement dans la langue. Ce sont en général les jeunes (ou les journalistes) qui sont à l'origine de telles créations de mots. Danielle ne connaît pas très bien tout le vocabulaire à la mode; elle a donc demandé à Emmanuelle de lui donner une petite leçon.

Danielle Donc, en discothèque, on doit voir pas mal de gens branchés. *(Oui, oui)* Est-ce qu'on dit encore 'branché'?

Emmanuelle Oui, on dit 'branché'; bon, il y a d'autres mots qui naviguent un peu autour, mais ... bon, 'câblé', 'relief' et tout; mais 'branché', c'est quand même resté dans les bouches des gens, je crois.

Danielle S'il fallait dire — je sais que c'est difficile, mais ... une douzaine de mots assez branchés de cette année ou des deux, trois dernières années?

Emmanuelle Bon alors, 'too much', 'too much' a beaucoup de succès.

Danielle Ah oui, il y a une chanson 'Ce mec est trop, ce mec est too much'.

Emmanuelle Euh, oui.

Danielle Donc ça, ça veut dire que c'est très bien.

Emmanuelle Oui, oui. Il y en a un qui est bien connu, et puis qui est ... — enfin, je trouve — qui est bien significatif; c'est pour quelqu'un qui est vraiment nul, c'est la 'tache'. C'est 'spot' en anglais, c'est ça?

Danielle Oui?

Emmanuelle Alors, tu dis 'ce mec-là, c'est une vraie tache'.

Danielle Ah oui ...

Emmanuelle 'Le plan', *(voilà)* c'est très important aussi.

Danielle Qu'est-ce que c'est que 'un plan', 'le plan'?

Emmanuelle Alors, 'plan', ça peut être tout ... ça peut être bien, ça peut être mal, enfin. 'On s'est fait un bon plan', ça peut être 'c'était une

145

bonne bouffe' ou ... Ça peut être vraiment n'importe quoi, je crois. 'Un plan d'enfer', c'est une bonne soirée. 'On va passer une bonne soirée', donc: 'ça va être un bon plan'; ou ... ou même gagner du fric, ou ...

Danielle   C'est un bon plan –

Emmanuelle   C'est un bon plan, quoi.

Danielle   D'accord.

qui naviguent un peu autour	*which are in the same area, ie` have the same meaning*
ce mec	*that bloke*
une bonne bouffe	*a good feed*

* On peut dire d'une bonne soirée que c'était 'un plan d'enfer': pouvez-vous trouver un équivalent en anglais?

* Traduisez en français standard:
'C'est pas un bon plan, ce mec! Il est pas branché et il a pas de fric.'

LE POURQUOI ET LE COMMENT

Languages

The names of languages in French are all masculine and are normally used with the definite article

l'arabe est plus difficile que *l'italien* pour un Français
j'ai un collègue qui essaie d'apprendre *le japonais*
à l'Île Maurice on parle *le français*
il fait *du latin* à l'école

When a specific form of the language is being referred to, you may well find the indefinite article

il parle *un français* un peu *archaïque*
il s'exprime dans *un italien incompréhensible*

Speaking *in* or translating *into* a language is expressed with **en**

ils se parlent en espagnol
elle a traduit tout Shakespeare en français

Note: with **parler** – and *only* with **parler** – the definite article is optional

il parle mieux (le) français que l'italien (qu'italien)

but

il comprend *le* français

Talking about how well you speak a language

1 If you're really fluent, then you can say

je parle couramment l'italien/l'espagnol/l'arabe

and you may be better at one than another

je parle mieux l'italien que l'arabe, mais c'est le français que je parle le mieux

and your mother tongue may be English

ma langue maternelle, c'est l'anglais

2 If you are not quite as good as that, you do at least try

j'essaie (de parler français)

and you may find it's easy or difficult

le français, je trouve ça	facile
	difficile
	dur

je trouve ça vraiment difficile de parler français

or you manage somehow

je me débrouille

or you make signs

je ne parle pas l'arabe mais je fais des signes/gestes

3 You may have trouble speaking it, but you understand very well
j'ai du mal à parler, mais je comprends très bien

Expressing your distress, and annoyance
If something annoys you, you can say

ça m'agace
ça m'énerve

If something really distresses you, then use

ça me chagrine
ça me peine
ça me fait de la peine
c'est pénible
c'est insupportable

If you want to avoid annoying someone else, you can ask whether they would mind if . . .

ça vous dérange si . . .?
ça vous ennuie si . . .?

Ça
The usual spoken form of cela: it is often used where English uses *it*

ça me peine
ça a beaucoup de mots du vieux français
ça vient plus vite

One more use of *que*
Que is probably the one word with the greatest number of different uses. Here is another one. Corinne says

quand je retourne en France et   *when I go back to France and*
    que je suis dans le métro . . .   *I'm in the metro . . .*

In sentences like this, que is used after et instead of repeating quand. The same thing happens with parce que, puisque, pour que, si, etc

je l'aime *parce qu'*il est beau et *qu'*il a beaucoup d'argent
si tu es gentil et *que* tu travailles bien à l'école, je t'emmènerai au zoo dimanche

DES MOTS ET DES CHOSES

créole
Strictly speaking this is a pidgin which has become a mother tongue. Pidgin languages grew up in countries colonised by Europeans and are a version of the colonisers' language with some native words added. Occasionally these pidgin languages became so complete and complex that they were adopted as the

mother tongue. In this case they are called **créole**. Mauritius, Reunion and the Seychelles all have French-based creoles.

patois
This is a kind of dialect. In most regions of France people used to speak a local **patois** which was often so different from standard French as to be incomprehensible to outsiders. Many of these **patois** have died out.

slang
Slang is **argot**. Some slang words are very old and have been in the language for centuries without ever being completely accepted. Others are as short-lived as any other fashion. In all cases you have to show some care you don't use slang in the wrong place. **Verlan** is an interesting kind of back-slang – **verlan = à l'envers**; so **branché** becomes **chébran**.

Many slang words have become part of colloquial speech, eg:

une bouffe is from the verb **bouffer** – *to eat*. It is used in expressions like **une bonne bouffe** – *a good meal*; **on bouffe bien** – *you eat well*; **La Grande Bouffe** – *The Great Blow-Out*; **on se téléphone et on se fait une bouffe** – *we'll get in touch about having a meal together*.

le fric means *money* and is common in informal speech

T'as pas du fric sur toi? Parce que moi, j'ai pas un rond *(I haven't got a penny)*

cent balles = one franc

Tu pourrais pas me prêter deux cents balles? J'ai pas assez pour m'acheter des clopes (des cigarettes)

un mec, une nana mean *a man* and *a woman*

Et les nanas, vous venez au resto avec nous?
Ah ces mecs, ils sont tous pareils!

dé

The prefix **dé-** (**dés-** before a vowel) often expresses the idea of undoing or bringing to an end what has been done. So:

débrouiller (from **brouiller** – *to mix, jumble up, confuse*) means *to unravel, to disentangle*; **se débrouiller** – *to get out of difficulties, to 'get by'* in a language

débarrasser (from **embarrasser** – *to block, clutter up*) means *to clear, to disencumber*; **se débarrasser (de)** – *to get rid of* someone or something

Similarly: **déjeuner** (from **jeûner** – *to fast*); **dépanner** (from **une panne** – *a breakdown*). So what do **déboutonner, défaire** and **décharger** mean?

Expressions à retenir

je (ne) comprends absolument rien
(pas) tout à fait
pas du tout
c'est (bien) pénible
c'est drôle
on finit par ..., j'ai fini par ...
avoir envie de

EXERCICES

1 Unscramble these sentences:
1 là absolument je alors rien comprends
2 de mots il répéter des essaie
3 le c'est que mieux le parle français je
4 le aussi que patois tout un on parle monde a
5 français(e) j'ai montrer suis envie que de je
6 parler je français ne peux qu'en lui
7 c'est tache qui quelqu'un vraiment une nul est

2 Fill in the blank in each sentence with a word from the list.
qui   ce que   donc   que   malgré   parce que
1 J'ai appris à parler français .... je voulais passer mes vacances en France.
2 Mme Deshayes trouve .... c'est injuste.
3 Les touristes ne savent pas .... c'est, le fromage de chèvre.
4 C'est les Allemands .... sont les plus durs à comprendre.
5 Je voulais aller vivre en France, ... j'ai appris à parler français.
6 Le pauvre M Deshayes n'arrive pas à parler l'italien .... tous ses efforts.

3 How would you say in French
1 I've no idea!
2 No-one knows where he is!
3 I've never been to Manosque.
4 It annoys me.
5 It really upsets me.
6 Do you mind if . . .?

4 Compose a sentence or two to explain the connection between the following, based on what you can remember from the texts.
1 Suzanne – bêêê
2 Mme Deshayes – l'italien
3 Marie Arlette – le créole
4 Corinne – les types dans le métro
5 Marie Arlette – sa petite fille

5. The French person you're talking to is enormously impressed with your French and wants to know how you do it.

Acquaintance	Mais vous parlez très bien français. Vous trouvez que c'est une langue difficile?
You	(*No, not too difficult.*)
Acquaintance	Mais qu'est-ce que vous faites pour vous faire comprendre aussi bien?
You	(*You always take a little dictionary with you which means you can always manage. When you don't know a word you look it up in your dictionary.*)
Acquaintance	Ah, alors il suffit d'avoir un petit dictionnaire avec soi?
You	(*Oh no, even with a dictionary you can't always find the right word.*)
Acquaintance	Et qu'est-ce que vous faites quand ça vous arrive?
You	(*If people don't understand you at all, you make gestures.*)
Acquaintance	En tout cas, vous vous débrouillez bien. Je comprends tout ce que vous me dites. Vous parlez beaucoup de langues?
You	(*You speak French well and Spanish fluently, but when you try to speak German no-one understands you.*)
Acquaintance	Quelle est la langue la plus difficile à apprendre?

> You   (*You don't know, but it's said that the two most difficult languages to learn are Hungarian and Portuguese – and Hungarian is so difficult that even the Portuguese can't speak it.*)
>
> Acquaintance   Ha! ha! Et dites-moi, vous avez appris le français comment?
>
> You   (*You learnt it by listening to **Franc-parler**, of course! It's a fantastic course ...*)

6   These are four fairly typical small ads from a newspaper 'lonely hearts' column entitled **Chéri(e)**.

1 MARSEILLE, femme quarantaine, grands enfants, grande maison, bonne situation, autonome, responsable, libérée, sportive, trouve un peu bête de ne pas partager les temps forts de sa vie avec homme même profil, généreux, enthousiaste et libre. Passion authentique pour voile et ski indispensable, ainsi qu'humour, simplicité et tendresse. J'aime aussi le cinéma, les chats, les enfants des autres, la vie à deux et les invasions de copains chaleureux.

2 PLAY BOY à toutes les nanas super cool et branchées. Si vous voulez vous mirer dans les yeux d'or d'un grand mec sympa, prêt à tout pour répondre, écrire dare-dare au play-boy de trente-quatre ans. Je vous attends. A bientôt.

3 AMITIE AMOUREUSE, 32 ans, 1,74, 61, bonne éducation, pas trop moche, tendre et viril, souhaite rencontrer copain même profil (20–30 ans) de préférence: mince, sympa, masculin, sentimental, sérieux, sans barbe ni moustache, pas forcément homo, pour amitié amoureuse. Ne peut recevoir. Ecrire au journal. Photo récente souhaitée et tél. Réponse assurée, et discrétion.

4 MOI GARÇON, 27 ans, yeux verts, enthousiaste et sensible, voyageur, ingénieur et biologiste, bien phys. Je connais plein de sympathiques super-nanas, mais cherche une amie vraie pour en faire ma femme. Toi, 20–25 ans, cheveux clairs, personnalité féminine, naturelle, intelligente, valeurs morales, aimant arts, nature, sports et êtres humains, C'est aussi simple que ça! Ciao.

1 Which of the advertisers are looking for people with similar qualities to themselves?

2 Which ones are seeking male and which ones female friends?

3 In no. 3, what do you think **moche** means – and what about **Ne peut recevoir**? And which word in which ad means *double quick*?

4 Try writing your own ad as if you were advertising for a penfriend with a large house in the South of France – describe yourself as well.

7   Listen to Lieutenant-Colonel Jean-Richard talking on cassette 2 about the problems the Foreign Legion have over languages and how they solve them.

1 How many English-speaking countries do the legionnaires come from?

2 How long is their basic training?

3 How many words is it aimed to teach them?

4 How many words do they usually actually learn?
5 What does Lt-Col Jean-Richard say about military language?
6 What reputation do the British legionnaires have when they're off duty?

INDEX

TO **LE POURQUOI ET LE COMMENT**

GRAMMAR SUPPLEMENT

In this section you'll find lists of verbs and pronouns to supplement information introduced in **Le pourquoi et le comment**.

Verbs

Although French verbs have many different parts, they mostly follow a recognisable pattern which enables you to guess how the parts will be spelt and pronounced.

Those with common patterns are called the *regular verbs*. The three main patterns are:

-er verbs (virtually all the verbs whose infinitive ends in **-er**)

Infinitive	Present	Imperfect	Future	Subjunctive
demander	*je* demande	demandais	demanderai	demande
	tu demandes	demandais	demanderas	demandes
	il demande	demandait	demandera	demande
Past	*nous* demandons	demandions	demanderons	demandions
participle	*vous* demandez	demandiez	demanderez	demandiez
demandé	*ils* demandent	demandaient	demanderont	demandent

-ir verbs (most verbs whose infinitive ends in **-ir**, though not including **-oir** verbs)

Infinitive	Present	Imperfect	Future	Subjunctive
choisir	*je* choisis	choisissais	choisirai	choisisse
	tu choisis	choisissais	choisiras	choisisses
	il choisit	choisissait	choisira	choisisse
Past	*nous* choisissons	choisissions	choisirons	choisissions
participle	*vous* choisissez	choisissiez	choisirez	choisissiez
choisi	*ils* choisissent	choisissaient	choisiront	choisissent

-re verbs (most verbs whose infinitive ends in -re, though not including -ire verbs)

Infinitive	Present	Imperfect	Future	Subjunctive
rendre	*je* rends	rendais	rendrai	rende
	tu rends	rendais	rendras	rendes
	il rend	rendait	rendra	rende
Past	*nous* rendons	rendions	rendrons	rendions
participle	*vous* rendez	rendiez	rendrez	rendiez
rendu	*ils* rendent	rendaient	rendront	rendent

Of course there are a number of verbs that don't follow these patterns exactly, and the four most irregular verbs are also the four that are most frequently used: **avoir**, **être**, **aller**, **faire**.

Infinitive	Present	Imperfect	Future	Subjunctive
avoir	j'ai	j'avais	j'aurai	j'aie
	tu as	tu avais	tu auras	tu aies
	il a	il avait	il aura	il ait
Past	nous avons	nous avions	nous aurons	nous ayons
participle	vous avez	vous aviez	vous aurez	vous ayez
eu	ils ont	ils avaient	ils auront	ils aient

être	je suis	j'étais	je serai	je sois
	tu es	tu étais	tu seras	tu sois
	il est	il était	il sera	il soit
Past	nous sommes	nous étions	nous serons	nous soyons
participle	vous êtes	vous étiez	vous serez	vous soyez
été	ils sont	ils étaient	ils seront	ils soient

aller	je vais	j'allais	j'irai	j'aille
	tu vas	tu allais	tu iras	tu ailles
	il va	il allait	il ira	il aille
Past	nous allons	nous allions	nous irons	nous allions
participle	vous allez	vous alliez	vous irez	vous alliez
allé	ils vont	ils allaient	ils iront	ils aillent

faire	je fais	je faisais	je ferai	je fasse
	tu fais	tu faisais	tu feras	tu fasses
	il fait	il faisait	il fera	il fasse
Past	nous faisons	nous faisions	nous ferons	nous fassions
participle	vous faites	vous faisiez	vous ferez	vous fassiez
fait	ils font	ils faisaient	ils feront	ils fassent

Despite all the irregularities and exceptions, there are a number of general points about verb formation that are worth remembering:

1 The **nous** form of any tense ends in -**ons**, and the **vous** form ends in -**ez** and has the same stem

Où all**ez**-vous? Nous all**ons** à Lourdes.

The only exceptions are: **nous sommes, vous êtes, vous faites, vous dites.**

2 The *imperfect tense* endings are always the same

-**ais, -ais, -ait, -ions, -iez, -aient**

and they're added to the stem taken from the **nous** form of the present tense

nous **demand**ons	je **demand**ais *etc*
nous **voy**ons	je **voy**ais *etc*

Être is the only exception: **nous sommes**, but j'**étais**, etc.

3 The *present participle* is formed with the same stem as the imperfect, with the ending -**ant**

nous **voy**ons   **voyant**

The only exceptions are

être	étant
avoir	ayant
savoir	sachant

4 The *future tense* endings are always the same

-**ai, -as, -a, -ons, -ez, -ont**

and they're usually added to the infinitive. With -**re** verbs the final -**e** is dropped

demander	je **demander**ai *etc*
choisir	je **choisir**ai *etc*
rendre	je **rendr**ai *etc*

Exceptions are shown in the tables below.

5 The *conditional tense* is formed in the same way as the future, but with the imperfect tense endings. Exceptions are the same as for the future tense.

6 The *subjunctive* endings are always the same

-**e, -es, -e, -ions, -iez, -ent**

and they're usually added to the stem taken from the **ils** form of the present tense

ils **demand**ent	je **demand**e *etc*
ils **prenn**ent	je **prenn**e *etc*

Exceptions, including verbs where the stem changes in the **nous** and **vous** forms, are shown in the tables below.

Below are some of the other irregular verbs you're most likely to come across – only the irregular parts are given. (Irregular verbs are marked † in the **Vocabulary**.)

NB: Where the **je** form in the present tense ends in **-s**, the **tu** form is identical and the **il** form ends in **-t**, eg **je bois, tu bois, il boit**.

Infinitive	Present	Future	Subjunctive	Past participle
boire	je bois nous buvons ils boivent	je boirai *etc*	je boive nous buvions vous buviez	bu
conduire	je conduis nous conduisons ils conduisent	je conduirai	je conduise	conduit
also: **construire, cuire, détruire, produire, réduire, traduire**				
connaître	je connais il connaît nous connaissons ils connaissent	je connaîtrai	je connaisse	connu
also: **disparaître, paraître, reconnaître**				
courir	je cours nous courons	je courrai	je coure	couru
croire	je crois nous croyons ils croient	je croirai	je croie nous croyions vous croyiez	cru
devoir	je dois nous devons ils doivent	je devrai	je doive nous devions vous deviez	dû
dire	je dis nous disons vous dites ils disent	je dirai	je dise	dit

Infinitive	Present	Future	Subjunctive	Past participle
dormir *also*: servir	je dors nous dormons ils dorment	je dormirai	je dorme	dormi

Infinitive	Present	Future	Subjunctive	Past participle
écrire *also*: inscrire, prescrire	j'écris nous écrivons ils écrivent	j'écrirai	j'écrive	écrit

Infinitive	Present	Future	Subjunctive	Past participle
falloir *(impersonal)*	il faut	il faudra	il faille	fallu

Infinitive	Present	Future	Subjunctive	Past participle
lire	je lis nous lisons ils lisent	je lirai	je lise	lu

Infinitive	Present	Future	Subjunctive	Past participle
mettre *also*: commettre, permettre, promettre	je mets nous mettons ils mettent	je mettrai	je mette	mis

Infinitive	Present	Future	Subjunctive	Past participle
mourir	je meurs nous mourons ils meurent	je mourrai	je meure	mort

Infinitive	Present	Future	Subjunctive	Past participle
ouvrir *also*: couvrir, découvrir, offrir, souffrir	j'ouvre nous ouvrons ils ouvrent	j'ouvrirai	j'ouvre	ouvert

Infinitive	Present	Future	Subjunctive	Past participle
partir	je pars nous partons ils partent	je partirai	je parte	parti
also: consentir, ressentir, sentir, sortir				

Infinitive	Present	Future	Subjunctive	Past participle
plaindre	je plains nous plaignons ils plaignent	je plaindrai	je plaigne	plaint
also: atteindre, craindre, rejoindre				

Infinitive	Present	Future	Subjunctive	Past participle
plaire	je plais il plaît nous plaisons	je plairai	je plaise	plu
also: déplaire				

Infinitive	Present	Future	Subjunctive	Past participle
pouvoir	je peux tu peux nous pouvons ils peuvent	je pourrai	je puisse	pu

Infinitive	Present	Future	Subjunctive	Past participle
prendre	nous prenons ils prennent	je prendrai	je prenne nous prenions vous preniez	pris
also: apprendre, comprendre, entreprendre, reprendre				

Infinitive	Present	Future	Subjunctive	Past participle
recevoir	je reçois nous recevons ils reçoivent	je recevrai	je reçoive nous recevions vous receviez	reçu
also: apercevoir				

Infinitive	Present	Future	Subjunctive	Past participle
rire	je ris nous rions ils rient	je rirai	je rie	ri

Infinitive	Present	Future	Subjunctive	Past participle
savoir	je sais nous savons ils savent (*present participle*: sachant)	je saurai	je sache	su

| **suivre** | je suis
nous suivons
ils suivent | je suivrai | je suive | suivi |

| **venir** | je viens
nous venons
ils viennent | je viendrai | je vienne
nous venions
vous veniez | venu |
| *also*: **tenir**, and all verbs ending in -**venir** or -**tenir** | | | | |

| **vivre** | je vis
nous vivons
ils vivent | je vivrai | je vive | vécu |

| **voir** | je vois
nous voyons
ils voient | je verrai | je voie
nous voyions
vous voyiez | vu |

| **vouloir** | je veux
tu veux
nous voulons
ils veulent | je voudrai | je veuille
nous voulions
vous vouliez | voulu |

Pronouns

Pronoun objects (see p 50)

Direct	Indirect
me	
te	
se	
le/la	lui
nous	
vous	
les	leur

These pronouns are usually put in front of the verb, and they appear in this order:

1 **me, te, se, nous, vous**
2 **le, la, l', les**
3 **lui, leur**

eg elle **me l'**a dit; je **les lui** ai demandé(e)s

With positive commands, the pronouns come *after* the verb, in this order: 1 direct object, 2 indirect object; and **moi** and **toi** are used instead of **me** and **te**

eg donnez-**les-moi**; donnez-**la-lui**

Y, en (see p 16)

These are pronouns standing for phrases. They are always placed after the other object pronouns

je **l'y** ai vu	*I saw him there*
donnez-**m'en**	*give me some*

Disjunctive pronouns (see pp 63, 78)

moi	toi	lui/elle
nous	vous	eux/elles

These pronouns are used, separated from the verb, either for emphasis or after prepositions

c'est **lui** qui l'a fait
venez **avec moi**

Relative pronouns (see p 15)

subject	qui
direct object	que

after prepositions:

referring to people	qui
referring to things	lequel, laquelle, lesquels, lesquelles.

(Note: à + lequel = auquel;
　　　 à + lesquels/lesquelles = auxquels/auxquelles
　　　 de + lequel = duquel;
　　　 de + lesquels/lesquelles = desquels/desquelles)

dont often replaces **de qui, duquel** etc

quoi is used after a preposition when not referring to something specific

à quoi, j'ai répondu ...

(Note: the **lequel** system can occasionally be used for people)

Neuter relative pronouns (see p 16)

subject	ce qui
direct object	ce que

where a preposition is involved:

de	ce dont
	eg **ce dont j'ai parlé**
other prepositions	**ce à quoi** *etc*
	eg **ce à quoi je m'intéresse,** c'est ...

KEY TO EXERCISES

CHAPTER 1

1 * tennis; planche à voile
* *the next day; the previous day*
* Les enfants retournent à l'école et les enseignants/instituteurs reprennent le travail.

2 * prépare les repas/mange; dort et on met ses vêtements
* Cela permet de ne pas avoir de problèmes de réservations, de s'arrêter quand on veut et de faire un voyage beaucoup plus fantaisiste.
* Un voyage différent des autres, un voyage dans lequel on suit sa fantaisie, un voyage au cours duquel on prend des décisions au jour le jour.

3 * Parce qu'ils sont enfermés toute l'année, soit à l'école, soit à la maison.
* On se sert soi-même, on paye à la caisse et on va s'installer à une table pour manger.
* Parce qu'elle peut passer la soirée au restaurant pendant qu'Anaïs dort au centre aéré.

CHAPTER 2

2 * Elle aime le théâtre, la danse et la musique.
* Le hard rock.

3 * Il était aussi joli.

4 * Elles ne sont pas toutes mignonnes mais elles jouent très bien.
* Parce qu'il est riche et méchant.

5 * De la musique pop, de la musique classique et du jazz.
* Paolo Conte est italien, Jacques Brel était belge et Georges Brassens français, du sud de la France.

6 * Parce que cet environnement correspond tout à fait au style de vie écologique qu'ils proposent à leurs visiteurs.

* On récolte les olives très tard dans l'année. En appelant sa dernière œuvre *Les Oulivadou*, c'est-à-dire les olivades en provençal, Mistral voulait montrer qu'il était arrivé à la fin de sa vie.

CHAPTER 3

1 ⁎ Parce qu'il a lui aussi une allergie, il est allergique au café.

2 ⁎ Parce que son irritation à l'œil pourrait être d'origine allergique.
⁎ Parce qu'elle a du rhume des foins et est allergique aux pollens.

3 ⁎ Ça coule.

4 ⁎ Les parties du corps mentionnées sont: les coudes *(elbows)*, les épaules *(shoulders)*, les jambes *(legs)*, le ventre *(stomach)*, les genoux *(knees)*, la poitrine *(chest)*, le front *(forehead)*, le menton *(chin)*.

5 ⁎ Parce qu'elles sont malades moins souvent pendant l'hiver qui suit et manquent donc moins l'école.

6 ⁎ malades, problème de santé, nerveux/nerveuse, un état névrotique, un état de maladie chronique, une bronchite, de l'asthme, le système nerveux, le stress

CHAPTER 4

1 ⁎ y = à la soupe.
⁎ *but you have to reckon on a good hour / at least an hour; if/whether you need to add a bit of . . .*

2 ⁎ Elle utilise l'expression 'alimentation naturelle' parce qu'elle pense que la diététique, c'est pour les gens malades.
⁎ On prépare le boulgour en le mettant dans de l'eau bouillante et en le laissant gonfler. Quant à la sauce, elle se compose de raisins secs, d'oignons et d'algues.

3 ⁎ Une tisane, ce sont des plantes qu'on fait infuser dans de l'eau bouillante; en Grande Bretagne, la tisane la plus connue, c'est le thé.
⁎ . . . mettre le moins d'espace et de temps possible entre ce que la terre produit et ce que la bouche mange.
⁎ 'Alors, on fait un liquide noir *qui* ressemble à du café, *qui* est savoureux et *qui* est à base des céréales européennes *qu'*on produit ici.'

4 ⁎ Parce qu'il faut les peler très largement, à cause des traitements chimiques qu'elles subissent, et qu'il faut donc éplucher quatre pommes pour en manger l'équivalent d'une seule.

⁎ Parce qu'ils commencent à s'intéresser aux vins français alors que les Français se mettent à en consommer de moins en moins. (Les Anglais rendent donc service aux viticulteurs français.)

⁎ 'Faites ce que je dis, ne faites pas ce que je fais.'

5 ⁎ Non, ça n'a pas d'importance.

CHAPTER 5

1 ⁎ Parce qu'elle voulait aller au cinéma et qu'elle avait besoin des programmes.

⁎ Parce qu'elle n'aimait pas son travail de professeur d'anglais dans une école de radio-électricité: elle était mal payée et cela ne lui plaisait pas.

⁎ Elle est sortie dans la ville, a cherché un tabac ouvert, en a trouvé un, et a acheté le dernier *Paris Normandie*. Elle est rentrée chez elle et elle a ouvert le journal. Elle a découvert l'annonce et elle n'a plus du tout pensé au cinéma. Elle a sorti son stylo et une feuille de papier, elle a fait son curriculum vitae et elle est allée le poster.

2 ⁎ Parce qu'il n'avait pas sa nouvelle adresse.

⁎ Parce que son ami ne lui a jamais envoyé son adresse.

3 ⁎ téléphoner, appeler, passer, rappeler, le standard, raccrocher, refaire le numéro, le coup de téléphone

⁎ Parce que c'est trop cher et que, là où elle va, il y aura déjà trois ou quatre voitures, celles de ses amis.

CHAPTER 6

1 ⁎ Il fait moins beau et moins chaud sur la côte atlantique.

2 ⁎ La vallée du Pô est un jardin, on y trouve des légumes fantastiques et des fruits formidables. Mais l'été c'est très touristique et il fait un peu trop chaud.

⁎ Depuis la construction du barrage, il y a du brouillard – alors qu'il n'y en avait jamais avant; il gèle moins en hiver, et il y a beaucoup plus de verdure.

3 ⁎ Les Provençaux sont beaucoup moins chaleureux que les gens du nord.

⁎ Parce qu'ils ont l'impression d'être envahis.

4   ✳ C'était de vivre à la campagne, dans une véritable chaumière.
     ✳ À la campagne, on peut vivre dans une maison, avoir un jardin
et profiter du calme. Par contre, en ville, il est plus facile de sortir,
d'avoir des activités culturelles (cinéma, théâtre, conférences,
concerts).

5   ✳ Parce que c'est très petit et très mort comme ville.
     ✳ Parce qu'au Liban, c'est toujours ce qu'on fait.

CHAPTER 7

1   ✳ Parce qu'elle a commencé par dire qu'elle et son mari avaient
encore quatre fils célibataires, alors que seuls les trois derniers
ne sont pas encore mariés.
     ✳ Tout d'abord il y a beaucoup de femmes qui travaillent à l'heure
actuelle, ensuite les logements sont plus petits qu'auparavant,
même s'ils sont plus confortables; enfin les enfants sont plus
exigeants.

2   ✳ Pendant les grandes vacances, à Noël, à Pâques, pour les
anniversaires et les communions.

3   ✳ Elle dit qu'il s'est remarié alors qu'il vit en union libre avec sa
seconde femme.
     ✳ Cela signifie que deux personnes vivent ensemble, forment un
couple mais sans être mariées officiellement.

4   ✳ Il pense que le problème vient essentiellement de la présence
d'enfants: il est plus difficile, d'après lui, de refaire sa vie quand
on a des enfants à charge et c'est souvent le cas des femmes
divorcées: C'est sans doute une explication possible. Mais peut-
être est-ce que les hommes de l'âge de Pierre ont plus envie de
refaire leur vie avec des femmes plus jeunes qu'eux et qui n'ont
pas été mariées avant de les rencontrer. Par contre, les couples
dans lesquels la femme est plus âgée que son partenaire ne sont
pas encore très bien acceptés par notre société.

5   ✳ Elle ne veut pas avoir à vivre comme les femmes libanaises ou
arméniennes.
     ✳ Les femmes doivent rester à la maison et les parents ont
beaucoup d'autorité sur leurs enfants (ils veulent tout savoir de
leurs activités).

CHAPTER 8

1   ✳ Une secrétaire de direction travaille directement sous les ordres
du directeur ou du PDG d'une société.

✳ Une infirmière soigne les gens, soit à domicile, soit dans un hôpital.

2 ✳ les caissières, le personnel de vente, le personnel de mise en rayon et le personnel de gestion
✳ Les caissières travaillent aux caisses, c'est à elles que les clients paient ce qu'ils ont acheté; le personnel de vente comprend tous les vendeurs et toutes les vendeuses; le personnel de mise en rayon est chargé de disposer tous les produits sur les étagères et de mettre les étiquettes indiquant les prix; quant au personnel de gestion, il s'occupe de l'administration.

3 ✳ D'avoir à répéter les choses.
✳ Qu'ils sont très fatigants.
✳ Celui d'institutrice et celui de mère de famille.

4 ✳ une coopérative, monter une entreprise, des concurrents, des marchés, des clients, faire du chiffre d'affaires

5 ✳ Les réunions formelles ont lieu tous les mois. Quant aux réunions informelles, il y en a presque tous les soirs, à partir de cinq heures et demie.

6 ✳ Elles ne font pas de cuisine le midi parce qu'il fait trop chaud.
✳ Il rince la vaisselle.
✳ Rien! Enfin si, ils jouent aux boules!

CHAPTER 9

1 ✳ Parce qu'il trouve que les chasseurs détruisent trop de gibier, surtout dans sa région.
✳ Il voudrait qu'ils puissent voir autant de gibier qu'il y a 20 ou 30 ans (ce qui n'est malheureusement pas possible).

2 ✳ Une organisation à but humanitaire est une organisation qui s'occupe d'aider les gens.
✳ Du fromage avec du vin.

3 ✳ Les organisateurs des Restaurants de Cœur ont demandé de l'aide aux gens qui avaient besoin de cette opération pour pouvoir manger tous les jours, en particulier les chômeurs.
✳ Il veut dire que les Français se mobilisent pour essayer de changer les choses dans leur pays.

4 ✳ L'idée qu'on puisse lui imposer un mari ou un compagnon.
✳ Elle organise des mariages en présentant des candidat(e)s possibles aux familles des jeunes gens en âge de se marier.

CHAPTER 10

1 ✳ Ce sont essentiellement des Hollandais, des Belges, des Anglais et des Allemands. Mais elle a vraiment du mal à communiquer avec les Allemands.

✳ Elle fait des gestes, elle imite le cri des animaux et elle utilise un dictionnaire.

2 ✳ Elle parle couramment le français et l'italien, et se débrouille mieux en espagnol qu'en anglais.

✳ Parce qu'il n'arrive pas à prononcer les mots.

3 ✳ Parce qu'elle a fait toutes ses études dans une école française.

4 ✳ Dans le métro, surtout lorsque quelqu'un lui demande de l'argent et qu'elle veut s'en débarrasser.

✳ Parce qu'elle n'arrive pas à lui parler en anglais.

5 ✳ *A hell of a good evening.*

✳ Il (n')est pas intéressant, cet homme-là! Il (n')est pas à la mode et puis il (n')a pas d'argent.

Answers to the *Exercices* in each chapter.

CHAPTER 1

1 1 où   2 lequel   3 qui   4 que   5 qui

2 1 ... qui habite Bristol.
2 ... que nous ne voyons pas (*or* qu'on ne voit pas) très souvent.
3 ... où il y a beaucoup (*or* plein) de choses à faire.
4 ... qui part de Marseille à 9h15.
5 ... qui n'est pas très loin.
6 ... où on peut faire de la planche à voile.
7 ... sur (*or* avec) lesquels on peut faire le tour du lac.
8 ... que nous avons remarqué en ville hier.

3 1 une semaine
2 le soir
3 c'est pas mal ça
4 péniblement
5 une année
6 les sacs de couchage
7 les casseroles, la poêle
8 ses vêtements

4 1 e   2 d   3 b   4 c   5 a

5 1 Elle passera le réveillon chez Willy.
2 Je vais aller prendre l'apéro au café de l'Univers.
3 Ils iront faire du ski dans les Alpes.
4 Nous achèterons du vin et du fromage pour les rapporter en Angleterre.
5 On va manger une bonne bouillabaisse chez Marius.
6 Il cultivera des roses dans les jardins de l'Élysée.
7 Ils camperont sur le Champ de Mars.

6 Oui, vous avez raison, il est pas mal du tout. D'ailleurs je pense que je vais faire l'initiation au boomerang.
. . . . .
Non, mais je vais essayer.
. . . . .
La balade nocturne a l'air (*or* me semble) pas mal. Je vais acheter une lampe électrique au village.
. . . . .
Et ce qui est bien ici, c'est qu'il y a six courts de tennis – j'adore le tennis.
. . . . .
Et le lendemain il y a une autre randonnée, de toute la journée cette fois. On va pique-niquer (*or* faire un pique-nique) au bord du lac et puis visiter la vieille église.
. . . . .

Oui, j'aime bien faire beaucoup (*or* plein) de choses quand je suis en vacances, et en plus il y a beaucoup (*or* pas mal) d'activités pour les enfants, aussi.

7 1 You can either return by the same route or extend the excursion via Albiosc and Allemagne-en-Provence, returning on the D952 to Gréoux and then to Manosque.
   2 Earthenware.
   3 No, it means you can't use boats with engines on the lake.
   4 a) The one to the Lac de Ste-Croix.
      b) The one to the Gorges du Verdon – impressive views of the Grand Canyon.
      c) The one to the Lac d'Esparron.
   5 The D6.

8 1 He got the Volkswagen this year (**je l'ai depuis cette année**).
   2 No, they arrived without mishap (**sans encombre**).
   3 A car that only went ten kilometres.
   4 They changed it two or three times.
   5 Looking back on it, you can laugh about it.
   6 Because they'd replaced so many of the parts (**il y a eu un nombre de pièces assez important changées dessus**).
   7 He actually managed to sell it afterwards (**j'ai même réussi à la vendre après!**).

CHAPTER 2

1 1 prochain   affreux
      dernier   méchant
      souvent   vraiment
      joli   ·   dehors

   2 REPAS   CHANSON   MIGNON   ODIEUX

2 1 ça m'a plu
   2 vraiment
   3 comme
   4 en plus
   5 intéressant
   6 la prochaine fois

3 There are various possible answers – typical ones are:
   1 C'était merveilleux.
   2 C'était pas mal. / C'était assez bien.
   3 C'était bien.
   4 J'étais ravie. / On était ravis.
   5 Ça ne m'a pas vraiment plu.
   6 C'était formidable.
   7 C'était pas bien du tout.

4   Il y a un lac chez nous; il est beaucoup plus grand, en fait c'est
le plus grand du Texas.

.....

Il n'est pas aussi beau que le parc du château de Versailles; celui
de Versailles, c'est le plus beau de toute la France.

.....

Je me demande s'il est aussi vieux que le quartier français de la
Nouvelle Orléans.

.....

Nous avons entendu un orchestre encore plus connu à Paris, à
la Salle Pleyel.

.....

Je suis sûr (*or* certain) que le vin qu'on fait en Californie est
meilleur.

5   C'est quoi cette émission? Qu'est-ce qui se passe exactement?

.....

Est-ce que ce sont des professionnels, ces chanteurs et ces
danseurs?

.....

D'accord, je comprends. Et les meilleurs sont sélectionnés par ce
jury?

.....

Et est-ce qu'il y a des personnalités très célèbres dans le jury?

.....

C'est lequel? Le petit homme brun?

.....

Il est plutôt mignon, non? Vous m'avez dit qu'il était chanteur –
est-ce qu'il a déjà fait des tubes?

.....

Ah oui, j'en ai entendu parler. C'est un peu méchant, non?

6   1 Parce que c'est l'heure du repas.
    2 Parce qu'on y voit à 80 kilomètres de là.
    3 Parce que c'est un petit peu brumeux.
    4 ... vue sur la vallée.
    5 Il veut dire qu'on est obligé de construire dans le style du pays.

7   He was invited to a party at the Cartoom Hotel and, when the
orchestra director asked if there were any singers in the room,
his friends pushed him up onto the stage, where he sang two
songs by Claude François and was an instant hit.

8   1 A special activity (**une animation particulière**).
    2 To the Lac d'Esparron to go windsurfing.
    3 There's a crèche, a nursery and various children's clubs.
    4 There's tennis for beginners (**initiation**) or advanced players
       (**perfectionnement**), volleyball and archery.
    5 Archery (**le tir à l'arc**).

CHAPTER 3

1   1 On commande *une pizza Royale*?
      2 Dévissez *le capuchon*.
      3 Je buvais *du café* tous les jours.
      4 Demande *à la serveuse* d'apporter du poivre.
      5 Je peux pas manger *d'anchois*.
      6 Pourquoi? Tu supportes pas *les anchois*?
      7 Le médecin a prescrit quelque chose *à Corinne*.
      8 Le professeur Tarragnat est heureux de parler *du yoga à ses enfants*.

2   Bon, d'abord, inspirez, soufflez, inspirez, *soufflez*. Pliez les coudes. *Allongez* les bras, repliez les *coudes* et recommencez. Faites attention de ne pas *cogner* votre voisin. Répétez l'exercice cinq fois. Bien, reposez-*vous*. Inspirez, *soufflez*. Écartez les jambes. Placez le coude droit sur le genou *gauche*; remontez. Placez le coude *gauche* sur le *genou* droit; remontez. *Répétez* le mouvement cinq *fois*. Bien. *Reposez*-vous. *Inspirez, soufflez*.

3   1 Elle a perdu sept kilos en ne mangeant plus qu'une fois par semaine.
      2 Il est devenu sourd en écoutant du hard rock à fond.
      3 Elle a attrapé une hépatite en buvant de l'eau non potable.
      4 Elle s'est coupé le doigt en coupant du fromage.
      5 Il a essayé de se suicider en mettant la tête dans son four électrique.
      6 Elle s'est cassé la jambe en faisant du ski.

4   Non, merci, j'aime (*or* je n'aime) pas la bière, et puis je (ne) me sens pas très bien.
     .....
Qu'est-ce que c'est, une tisane?
     .....
D'accord, je vais (y) goûter. Dis-moi, le tilleul c'est bon pour les genoux aussi?
     .....
J'ai des ennuis avec les/mes genoux.
     .....
J'ai fait de la planche à voile et maintenant j'ai mal aux genoux.
     .....
Oh, mais c'est pas tout – j'ai aussi un problème avec mon œil droit.
     .....
Je suis allé(e) chez le pharmacien et il m'a donné un médicament, mais malheureusement je peux (*or* je ne peux) pas ouvrir la bouteille.
     .....
Non, j'ai vissé le capuchon à fond et maintenant j'arrive (*or* je n'arrive) plus à le dévisser.

5 1 Lie the child down on its side, curled up, make an emergency call for a doctor and wait for him to arrive.

2 Take the child straight to the doctor and do not touch the burn.

3 Press long and hard on the wound with your hand, and lie the child down flat on its back.

4 If the child has fallen down, you shouldn't move it unless you're trained in first aid. In the event of a burn, do not apply greasy substances or ointment, and do not puncture the blisters.

6 1 It's encouraging that men are smoking a great deal less, but on the other hand women are smoking more and more.

2 The two curves have met.

3 The stresses of daily life **(les conditions de la vie stressantes)**.

4 The increase in smoking among children **(au niveau des enfants)**.

5 a de plus en plus
     b de plus en plus
     c mange, boit, fume
     d à partir de

CHAPTER 4

1 des   des   du   du   de l'   du   de la   en

2 Faites ce que vous voulez. Faites ce que je fais.

Je ne sais pas ce que vous voulez. Je ne sais pas ce que notre jardin produit. Je ne sais pas ce qui se passe. Je ne sais pas ce que je fais.

Regardez ce que vous voulez. Regardez ce que notre jardin produit. Regardez ce qui se passe. Regardez ce que je fais.

Vous pouvez nous dire ce que c'est, une infusion? Vous pouvez nous dire ce que vous voulez. Vous pouvez nous dire ce qui se passe.

Nous avons tout ce que vous voulez. Nous avons tout ce que notre jardin produit.

On mange ce que vous voulez. On mange ce que notre jardin produit. On mange ce qu'on peut.

On fait ce que vous voulez. On fait ce qu'on peut.

3 1 Combien d'œufs faut-il? (*or* Il faut combien d'œufs?) – b

2 Comment ça s'écrit? (*or* Ça s'écrit comment? *or* Comment est-ce que ça s'écrit?) – e

3 C'est un peu dangereux, non? – d

4 (Est-ce que) vous pourriez me dire combien de temps il faut pour aller à Triffouillis-les-Chaussettes? – a

5 Qu'est-ce qui se passe? – c

4 1 Le café, à la Thomassine, on n'en boit pas.
   2 La culture biologique, c'est de plus en plus répandu de nos
      jours. (*or* C'est de plus en plus répandu de nos jours, la culture
      biologique.)
   3 C'est Christian qui aime bien la vie à la campagne. Christophe
      préfère la mer.
   4 Patrice, il prépare la soupe tous les jours. (*or* C'est Patrice qui
      prépare la soupe tous les jours.)
   5 Moi, j'adore la soupe aux algues!
   6 C'est le train de dix heures que nous prenons.

5 Mais c'est tout près du port, non?
   . . . . .
   Je sais pas, hein. Et la centrale nucléaire alors?
   . . . . .
   Oui, mais tu as été malade tout l'hiver dernier, non (*or* n'est-ce
   pas)?
   . . . . .
   Ah bon, il y a un restaurant là-bas?
   . . . . .
   Malheureusement, je suis allergique aux huîtres. J'en ai mangé
   une fois et ça m'a donné des marques rouges.

6 Oui, je l'ai lue.
   . . . . .
   Oui. Alors il faut quatre escalopes de poulet, 12 figues, 15
   grammes de beurre, quatre cuillères à soupe de graines de
   sésame, deux cuillères à soupe d'huile d'arachide, la moitié d'un
   citron, du sel et du poivre.
   . . . . .
   Pour la marinade il faut un yaourt, un citron, une cuillère à soupe
   de moutarde, du sel et du poivre.
   . . . . .
   Une demi-heure.
   . . . . .
   Non, c'est pour frotter les escalopes avant de les cuire.
   . . . . .
   Tu saupoudres une demi-cuillère de graines de sésame sur une
   face des escalopes, puis tu les mets sous le gril pendant quatre
   minutes. Et puis tu fais la même chose pour l'autre face (*or* côté).
   . . . . .
   Non, il faut les essuyer avec un linge humide. Puis tu les ouvres
   en fleurs et tu les fais chauffer à la poêle dans le beurre fondu
   pendant trois minutes.

7 1 Restaurant prices have increased in line with general price
      trends, but there have been many changes on the
      management side – people have been leaving the business
      and new ones coming in.
   2 People prefer lighter food, more in the style of **nouvelle cuisine**,
      rather than heavy sauces with lots of cream and alcohol and
      dishes flambéed in Calvados.

3 Normandy is not as cheap as Alsace or Brittany, or even Paris (if you know the right places to go to).

4 They attract people who expect to pay more, so put up their prices.

CHAPTER 5

1
1 lui   2 eux   3 elle   4 lui
5 elles   6 lui   7 eux   8 elle

2
1 il pleuvait
2 au tabac
3 tout
4 jamais
5 un stylo
6 mal payé(e)
7 Je m'y plaisais pas du tout.
8 Il me le fallait absolument

3
1 C'était incroyable.
2 J'ai dû refaire le numéro.
3 Il vous faut le service complet.
4 Ça s'appelle le service complet.
5 Il m'a fallu attendre.
6 J'ai attendu très longtemps.
7 J'ai eu raison de l'appeler.
8 Il faut apporter la voiture tôt le matin.
9 J'y ai pensé toute la matinée.
10 J'ai une idée géniale.

4
C'est toute une histoire. J'allais prendre le train mais je me suis trompé(e) de quai. Quand j'ai trouvé le bon, le train était déjà parti.

. . . . .

Non, c'était le dernier.

. . . . .

J'ai demandé aux Renseignements mais il n'y avait pas de car avant sept heures du soir.

. . . . .

Non, j'ai décidé de louer une voiture. Aux Renseignements on m'a donné un numéro de téléphone.

. . . . .

Non. J'ai fait le numéro, mais ça ne répondait pas. J'ai raccroché et j'ai refait le numéro – cette fois quelqu'un a répondu et m'a dit que le médecin était en vacances.

. . . . .

Non, mais finalement j'ai eu le bon numéro, et un jeune homme très gentil m'a dit qu'il ne lui restait plus qu'une vieille 2CV.

. . . . .

Eh bien si! J'ai fait 30 kilomètres et pouf! la voiture s'est arrêtée.
. . . . .
Heureusement, ça s'est passé devant une ferme. Le fermier était très gentil, et il m'a accompagné(e) chez mes amis sur son tracteur.

5 1 He sometimes slept there because he'd been burgled before.
   2 Because the shopkeeper had fired a low warning shot towards the burglar.
   3 In a van driven by an accomplice.
   4 The burglar and his accomplice stopped their van a bit further on in the camp of an evangelist community and asked for help. The members of the community helped them into a car to drive them to hospital but they were spotted by the police and taken away for questioning.

6 Hier matin, en *prenant* mon petit déjeuner, j'ai cru voir *une girafe* dans ma *tasse de café*. Bien sûr, *je m'étais trompé(e)*: elle n'était pas dans mon café mais dans la pièce à côté du *téléphone*. *J'ai* donc *décidé* d'*écrire une lettre* de réclamation au directeur du zoo. C'était la troisième fois en trois jours qu'un animal s'échappait et venait s'installer chez moi. Une fois la lettre finie, *je suis sorti(e)* pour aller la *poster* mais en *chemin*, j'ai eu un accident de *voiture* à cause d'un éléphant qui était assis en plein milieu de la route. Quelle histoire!

7 1 He went by bicycle, and he only spent two or three nights in a hotel.
   2 To sleep out in the open (under the stars).
   3 Because cyclists make a better impression than tourists in big American cars.
   4 In Moslem countries where hospitality is a basic part of life **(où on pratique l'hospitalité de façon tout à fait normale)**.

CHAPTER 6

1 1 LÀ-BAS   6 MALGRÉ
   2 PARTAGENT   7 CHALEUR
   3 LONDRES   8 AILLEURS
   4 BANLIEUE   9 QUARTIER
   5 TIERS   10 BROUILLARD

2 1 Haut et Bas-Rhin   5 Manche
   2 Vienne   6 Cher
   3 Gard   7 Calvados
   4 Pas-de-Calais   8 Alpes de Haute-Provence

3 La Côte d'Azur est très *belle*, bien sûr, mais moi, j'aime mieux la *côte* atlantique. J'aime bien y passer mes *vacances*. Il y a d'énormes *vagues*, et c'est bien quand on veut faire de la *planche* à *voile*. Mais il n'y a pas que la *France*. L'*endroit* où j'habite est

très *joli* aussi. C'est une *petite* ville avec une *jolie* place du marché. Moi, j'ai une grande *maison* à la *campagne* à trois kilomètres de la *ville*.

4   *Cousin Henry:* les eaux cuivriques, excellentes pour les voies respiratoires

Grandma: le Parc naturel des Pyrénées est une réserve où l'on peut admirer des fleurs rares

Sister Kate: la neige est à 45 minutes de voiture, à Gourette (on peut même y skier en juillet); on peut faire de l'escalade dans les Gorges du Guerlance

Clarence: le Col de Somport ouvre une route de montagne d'une grande beauté; la station tout entière se blottit dans un parc planté d'arbres magnifiques; on pratique la pêche à la truite dans les gaves des environs

Robert: dans le parc ou aux abords immédiats, on pratique tennis, natation, équitation, canotage sur le petit étang

Nieces and nephews: la station dispose aussi d'équipements pour les enfants

5   Je pense que c'est un endroit formidable (*or* merveilleux).
. . . . .
Oui, surtout à cause du temps.
. . . . .
Oui, et c'est justement pour ça que j'y viens.
. . . . .
Non, bien sûr. J'aime beaucoup le vin et la nourriture aussi.
. . . . .
Non. Qu'est-ce que c'est ça?
. . . . .
Mais dites donc, ça m'a l'air très intéressant. À votre avis, où est-ce que je pourrais me renseigner?
. . . . .
Oh, eh bien, c'est parfait. J'irai en chercher un demain.
. . . . .
Oui, on en fait malgré le mauvais temps. Et vous, est-ce que vous êtes déjà allé en Angleterre?

6   1   There are very few garages (il y en a fort peu) because the houses in the area are mostly old and were built without them.
    2   Bringing in a large piece of furniture or moving house (**surtout si l'on veut déménager**), because the narrow streets make it very difficult for lorries to get in and out.
    3   They had to bring everything from the end of the street as the lorry couldn't get into the street, but they managed all right (**les choses se sont faites tout de même, puisque je suis là!**).
    4   The peace and quiet, which is due to the difficulty of getting along the narrow street and the fact that the street doesn't lead anywhere except to their houses.
    5   That only five minutes away from Rouen station, three- and four-year-old children can play in the street without risk.

CHAPTER 7

1   1 Noël et Pâques
    2 assez souvent
    3 nous sommes facilement dix ou douze
    4 tous les ans
    5 ils nous demandent toujours de venir
    6 ou bien
    7 nous allons passer quelques jours chez eux
    8 c'est (*or* ce sont) eux qui viennent nous aider
    9 très gentils entre eux

2   1 c   2 a   3 e   4 d   5 b

3   1 Dans le nord de la France le climat est moins sec que dans le sud.
    2 Gulliver était beaucoup plus grand que les Lilliputiens.
    3 Les enfants d'aujourd'hui sont plus exigeants que je ne l'étais quand j'étais enfant.
    4 Aujourd'hui on mène une vie beaucoup plus facile qu'il y a 100 ans. (*or* La vie d'aujourd'hui est beaucoup plus facile qu'elle ne l'était il y a 100 ans.)
    5 La vie d'un couple sans enfants est (beaucoup) plus simple que celle d'un couple avec enfants.
    6 Le saumon frais est meilleur que le saumon congelé.

4   J'imagine (*or* Il me semble) que la vie dans une grande famille est plus intéressante.
    . . . . .
    Oui, c'est vrai, mais il y a d'autres choses à prendre en compte que l'argent. D'abord les petits peuvent jouer ensemble, et puis les aînés (*or* les plus âgés) peuvent s'occuper des plus jeunes, alors que dans une petite famille ce sont les parents qui doivent tout faire. Finalement (*or* Enfin), quand les enfants ont grandi, ils peuvent s'entraider, se rendre visite les uns aux autres, et organiser de grandes réunions familiales – c'est beaucoup plus drôle.
    . . . . .
    Oui, là je suis tout à fait d'accord avec toi (*or* tu as tout à fait raison). Je n'avais pas pensé à ça.

5   1 Cécile likes her independence and has no intention of getting married; she would like to live with someone, but only so long as both of them are free to do exactly what they want.
    2 When children come along.
    3 It's not a question of responsibility and obligation.
    4 Not really: he's *désabusé* – disillusioned.
    5 Because they like tradition and because marriage is the best way to bring families closer together.

6 1 Marrying again – it's not completely impossible.
  2 The difference between being married and not being married –
    except as far as taxes and benefits are concerned (**sur le plan
    de la législation sociale**).
  3 To show that other people in politics are in a similar position
    to himself.
  4 It means *it's becoming socially acceptable* – Pierre is talking
    about divorce and remarriage followed by starting a second
    family.

CHAPTER 8

1 Jean-Paul est barman, (il travaille) au café de Flore.
  Fatima est enseignante, (elle travaille) à l'école maternelle.
  Michel est caissier, (il travaille) dans un supermarché.
  Sylvie est infirmière, elle travaille à (*or* pour) la Croix Rouge.
  Alain est boulanger, il travaille à la boulangerie Baguette.
  Marcel est PDG d'une compagnie pétrolière.

2 1 les entreprises   5 causer
   2 le marché   6 une augmentation
   3 réunion   7 le bœuf bourguignon
   4 tout prêt   8 les clients

  mal payé – se dit de quelqu'un qui a besoin d'une augmentation
  la vaisselle – on la casse ou on la fait

3 1 Il faut trouver des clients.
   2 Il faut que les enfants fassent la vaisselle.
   3 Il me faut un ouvre-boîtes.
   4 Ce qu'il lui faut, c'est une bonne nuit de repos.
   5 Il faut que tu ailles (*or* vous alliez) faire une cure.
   6 Il te/vous faudrait un ordinateur pour calculer tous les risques.
   7 Il nous faudra y être à dix heures.
   8 Il ne faut pas se baigner juste après un repas.

4 Il est barman au Café des Vosges. C'est un travail (*or* boulot)
  très dur et plutôt ennuyeux.
  . . . . .
  Il travaille à plein temps, mais il fait quatre heures le matin et
  quatre heures le soir.
  . . . . .
  À dix heures, et il ne finit jamais avant onze heures du soir.
  . . . . .
  Oui, et en plus il doit travailler certains week-ends, alors il (ne)
  voit pas beaucoup Martine, sa femme. Elle travaille dans un
  supermarché.
  . . . . .
  Avant elle y travaillait à temps partiel, comme secrétaire, mais
  maintenant c'est elle la directrice.

.....
Elle fait de très longues journées mais elle est bien payée, et elle a des réductions sur tout ce qu'elle achète.

.....
Et puis elle a droit à six semaines de vacances par an.

5 (no answers)

6
savoir	actuelle
parce qu'	c'est-à-dire
surtout	une fois par semaine
ce qui veut dire	donc
mais	semble

7 1 When the countryside she could see from her window caught fire she wanted to do something about it.
  2 She went to see M Tardito, then 'le Commandant Gaia', the fire chief, then she did a first-aid certificate, exams, a training course and attended real fires.
  3 When the siren sounds, wherever she is she has to drop everything and go.

8 1 His personal reasons for enlisting.
  2 He was temporarily at odds with himself (**en déséquilibre temporaire**).
  3 About seven years.
  4 They tried to make him reconsider his decision to enlist.
  5 The Colonel offered to let him go home as he'd been too young when he'd joined up.

CHAPTER 9

1 1 faire 2 pouvoir 3 avoir 4 être 5 vouloir 6 savoir

2 (no answer)

3 Yes. I can understand you! As far as I'm concerned, just the idea that someone could impose on me the person I'm to marry or to live with makes my hair stand on end! And what's it like in Mauritius? What position do women have in Mauritius?

4 1 It's helpful if people are of the same background, religion and culture.
  2 There's not much difference between being introduced by a matchmaker and meeting them on the bus or in the Metro.
  3 Families have a lot to do with marriage anyway.

5 Tu as (or T'as) déjà entendu parler des Restaurants du Cœur?
.....
Non, pas du tout. C'est Coluche qui a monté cette opération pour

donner à manger aux gens qui n'ont pas les moyens d'acheter de la nourriture (*or* de se nourrir), surtout aux chômeurs.

. . . . .

Non, pas vraiment. Mais là où j'habite, à Windsor, je vais (*or* on va) organiser un concert pour les chômeurs de la région.

. . . . .

Oui, mais (il y a) beaucoup de gens (qui) m'ont déjà contacté(e) pour me dire qu'ils veulent (*or* voulaient) aider. Au niveau de (*or* En ce qui concerne) la musique, il y a des chanteurs très connus qui sont prêts à participer gratuitement. Mais le plus difficile (*or* la chose la plus difficile) c'est de trouver le local. Je vais écrire au curé pour lui demander si on (ne) pourrait pas utiliser l'église. Je (ne) pense (*or* crois) pas qu'il refusera.

6 1 That the Town Council is planning to build flats on land in the Chemin des Cressauds belonging to M Rigaud, next to the nursery school and opposite her house.
   2 That what was planned was a sports complex, swimming pool and old people's home.
   3 Because they made heavy sacrifices in order to have the right to peace and quiet.
   4 That, following a local meeting and representations from residents, he was undertaking to ensure that only leisure facilities were built there and not flats.
   5 She will reply that there's no foundation to the rumours.

7 1 He joined up as a volunteer.
   2 That young people don't seem as patriotically aware, though you can't tell how they'd react if the need should arise.
   3 Loyalty to a region rather than to the country.
   4 Rivalry and even jealousy between the regions because some are naturally better off than others.
   5 The political power.

CHAPTER 10

1 1 Alors là, je comprends absolument rien.
   2 Il essaie de répéter des mots.
   3 C'est le français que je parle le mieux.
   4 On a aussi un patois que tout le monde parle.
   5 J'ai envie de montrer que je suis français(e).
   6 Je ne peux lui parler qu'en français.
   7 Une tache, c'est quelqu'un qui est vraiment nul.

2 1 parce que 2 que 3 ce que 4 qui 5 donc 6 malgré

3 1 Je n'ai (*or* Je n'en ai) aucune idée!
   2 Personne (ne) sait où il est!
   3 Je ne suis jamais allé(e) à Manosque.
   4 Ça m'agace (*or* m'énerve).

5 Ça me peine vraiment. (*or* Ça me fait vraiment de la peine.)
6 Ça vous dérange (*or* ennuie) si ...?

4 Possible answers:

1 Suzanne dit 'Bêêê' pour expliquer aux touristes qui ne parlent
pas (le) français ce que c'est qu'un fromage de chèvre.
2 Mme Deshayes parle l'italien parce que son père était d'origine
italienne.
3 Marie Arlette parle le français et le créole, qui est le dialecte
que tout le monde parle à Maurice.
4 Corinne parle l'anglais dans le métro parisien pour se
débarrasser des types qui veulent lui demander de l'argent.
5 Marie Arlette a épousé un Anglais, elle habite Londres, mais
elle parle (en) français avec sa petite fille.

5 Non, pas trop difficile.
.....
J'emporte toujours un petit dictionnaire avec moi, ce qui fait que
j'arrive toujours à me débrouiller. Quand je ne connais pas un
mot, je le cherche dans mon dictionnaire.
.....
Oh non, même avec un dictionnaire je n'arrive pas toujours à
trouver le mot juste.
.....
Si les gens ne me comprennent vraiment pas, je fais des gestes
(*or* signes).
.....
Je parle bien (le) français et couramment (l')espagnol, mais
quand j'essaie de parler (l')allemand, alors là personne ne me
comprend.
.....
Je ne sais pas, mais on dit que les deux langues les plus difficiles
à apprendre sont le hongrois et le portugais – et que le hongrois
est si difficile que même les Portugais n'arrivent pas à le parler.
.....
(Je l'ai appris) en écoutant **Franc-parler**, bien sûr! C'est un cours
formidable ... (*or* sensationnel *or* super *or* extra *or* vraiment
super ...)

6 1 numbers 1 and 3
2 male – numbers 1 and 3; female – numbers 2 and 4
3 **moche** – ugly; **ne peut recevoir** – can't have visitors at home;
dare-dare, in number 2

7 1 Three are mentioned – Canada, the USA and Britain.
2 Four months.
3 500.
4 The average **(la moyenne)** is about 300.
5 It's very simple and within the range of everyone **(à la portée
de tout le monde)**.
6 They express themselves with **une certaine vigueur** in the local
bars.

VOCABULARY

NB: The English translations given apply to the words as they are used in this book.

Adjectives are listed in their masculine singular form. If the feminine is different and formed other than by adding -e, this is shown as follows: **vieux (f vieille)**.

If the plural of an adjective or a noun is formed other than by adding -s, this is shown as follows: **normal (pl normaux); le travail (pl travaux)**.

Nouns and masculine adjectives ending in -s or -x, eg **le bras, curieux**, do not have a separate plural form.

✱ Verbs forming the perfect tense with **être**.

† Irregular verbs (most are given in the **Grammar supplement**, p 156). Irregular past participles are shown thus: **vouloir (pp voulu)**.

Abbreviations: **f** feminine, **m** masculine, **pl** plural, **pp** past participle, **colloq** colloquial.

A

à   *to; at; in*
abaisser   *to lower*
abandonner   *to abandon*
abattre (*pp* abattu)   *to shoot*
abattu   *tired, exhausted*
abondamment   *profusely*
d'abord   *first (of all)*
les abords *(mpl)*   *surroundings*
l'absentéisme *(m)*   *absenteeism*
absolument   *absolutely*   absolument
    pas   *not at all*
accepter   *to accept*
l'accident *(m)*   *accident*
accompagner   *to accompany, come/go*
    with; to serve with
d'accord   *right, all right, very well*   être
    d'accord   *to agree*
l'accueil *(m)*   *reception; welcome*
†accueillir   *to receive, take (in)*
acheter   *to buy*
l'acné *(f)*   *acne*
l'acteur *(m)*   *actor*
activement   *actively*
l'activité *(f)*   *activity*

l'actrice *(f)*   *actress*
actuel (*f* actuelle)   *present (-day)*
    actuellement   *at present, at the moment*
adaptable   *adaptable*
✱s'adapter   *to adapt (oneself)*
l'adjoint *(m)* au maire   *deputy mayor*
administratif (*f* administrative)
    administrative
l'administration *(f)*   *administration*
admirer   *to admire*
l'adolescent(e) *(m/f)*   *adolescent, teenager*
adorer   *to adore, love*
l'adresse *(f)*   *address*
l'adulte *(m/f)*   *adult*
aéré: le centre aéré   *type of children's day*
    centre
affaire: avoir affaire à   *to deal with*   les
    affaires *(fpl)*   *business*
affiché   *displayed*
affirmer   *to maintain, assert*
affreux (*f* affreuse)   *awful, dreadful*
afin de   *in order to*
l'Afrique *(f)* du Nord   *North Africa*
agacer   *to irritate, annoy*
†l'âge *(m)*   *age*   en âge de   *old enough to*
    quel âge?   *what age?, how old?*
âgé   *old*

∗s'agir: il s'agit de *it's to do with, it's a case of*
agréable *pleasant, nice*
l'aide *(f) help*
aider *to help*
l'aigle *(m) eagle*
l'ail *(m) garlic*
ailleurs *elsewhere, somewhere else* par ailleurs *in other respects* d'ailleurs *besides, moreover*
aimer *to like* aimer mieux *to prefer*
l'aîné(e) *(m/f) elder, older one; eldest, oldest*
ainsi *thus, so, in this way* ainsi que *just as; as well as*
l'air *(m) air*
air: avoir l'air (de) *to seem; to look, sound*
aisément *easily*
ajouter *to add*
l'alcool *(m) alcohol*
Alger *Algiers*
l'Algérie *(f) Algeria*
l'algue *(f) seaweed*
l'aliment *(m) food*
alimentaire *dietary*
l'alimentation *(f) food; diet*
l'allemand *(m) German (language)*
l'Allemand(e) *(m/f) German (person)*
∗†aller *to go; to be going to* ça va *that's it, that's right* ∗s'en aller *to go off*
l'allergie *(f) allergy*
allergique *allergic*
allô *(on the phone) hello*
l'allocation *(f)* chômage *unemployment benefit*
allonger *to stretch out; to lie down*
allongé *lying down* ∗s'allonger *to stretch out*
alors *then, at that time; so; well, then*
alors là *in that case* alors que *when, whereas*
les Alpes *(fpl) the Alpes*
altéré *spoilt*
l'altitude *(f) altitude*
l'amandier *(m) almond tree*
amarrer *to moor, tie up*
l'amateur *(m) lover, fan*
l'ambiance *(f) atmosphere*
l'amélioration *(f) improvement*
améliorer *to improve*
aménagé *fitted out, equipped*
amener *to bring; to bring about, cause*
amer (*f* amère) *bitter*
américain *American*
l'ami(e) *(m/f) friend*
l'amitié *(f) friendship*
l'amour *(m) love*
amoureux: amitié amoureuse *loving friendship*
∗s'amplifier *to grow*
amusant *amusing*
∗s'amuser *to amuse oneself, have a good time*

l'an *(m) year* avoir … ans *to be … (years old)*
l'ananas *(m) pineapple*
l'anchois *(m) anchovy*
ancien (*f* ancienne) *old; former*
l'anémone *(f)* de mer *sea anemone*
anglais *English* l'anglais *(m) English (language)* l'Anglais(e) *(m/f) Englishman/woman*
l'Angleterre *(f) England*
l'angoisse *(f) anxiety*
l'animal (*pl* animaux) *animal*
l'animateur *(m)*, l'animatrice *(f) organiser, (play/youth) leader*
l'animation *(f) event, activity; organising*
l'année *(f) year*
l'anniversaire *(m) anniversary*
l'annonce *(f) advertisement* les petites annonces *classified/small ads*
annoncer *to announce*
anti- *anti-*
l'antihistaminique *(m) antihistamine*
les Antilles *(fpl) West Indies*
antipathique *not nice, unpleasant*
août *August*
†apercevoir (*pp* aperçu) *to see*
∗s'apercevoir que *to notice, realise that*
l'apéro (*colloq*)=l'apéritif *(m) aperitif*
l'apparence *(f) appearance*
l'appartement *(m) apartment, flat*
†appartenir (*pp* appartenu) *to belong*
appel: faire appel à *to call on*
appeler *to call* ∗s'appeler *to be called*
appétissant *appetising*
appliquer *to apply*
apporter *to bring*
apprécier *to appreciate*
†apprendre (*pp* appris) *to learn; to find out*
l'apprenti(e) *(m/f) apprentice*
l'apprentissage *(m) apprenticeship*
approbateur (*f* approbatrice) *approving*
l'approbation *(f) approval*
approuver *to approve (of)*
appuyer *to press*
après *after; afterwards* d'après *according to*
l'après-midi *(m/f) afternoon*
l'aptitude *(f) aptitude*
l'arabe *(m) Arabic (language)*
l'arachide *(f) groundnut*
l'arbre *(m) tree*
l'arceau *(m)* (*pl* arceaux) *arch, hoop*
archaïque *archaic*
archéologique *archaeological*
l'architecture *(f) architecture*
l'argent *(m) money*
aride *arid*
arménien (*f* arménienne) *Armenian* l'arménien *(m) Armenian (language)*
∗s'armer *to arm oneself*
arrangé *arranged*
arrêt: sans arrêt *non-stop, constantly*

✱s'arrêter *to stop*
✱arriver *to arrive; to manage, succeed; to happen*
l'art *(m)* *art*
l'article *(m)* *article*
l'artiste *(m/f)* *artiste, performer*
l'aspect *(m)* *aspect*
l'assaisonnement *(m)* *seasoning*
assez *enough; quite, fairly*
assimiler *to assimilate, absorb*
assis *sitting*
l'association *(f)* *association*
assurer *to assure* assuré *guaranteed*
l'asthme *(m)* *asthma*
l'athlète *(m/f)* *athlete*
atlantique *Atlantic*
†atteindre (*pp* atteint) *to reach*
    atteint *hit*
attendre *to wait (for)*
attentif (*f* attentive) *attentive*
attention: faire attention *to be careful*
attirer *to attract*
l'attitude *(f)* *attitude*
attraper *to catch*
attribué *allocated*
au = à + le
aucun *no*
l'augmentation *(f)* *increase, rise*
aujourd'hui *today*
auparavant *before*
auprès de *with; at, from*
aussi *too, also, as well; so, such* aussi ... que *as ... as*
aussitôt *immediately*
autant *as much* pour autant que je sache *as far as I know*
authentique *genuine*
l'autobus *(m)* *bus*
l'automobile *(f)* *car*
autonome *independent*
l'autorisation *(f)* *permission, permit*
l'autorité *(f)* *authority*
l'autoroute *(f)* *motorway*
autour (de) *around*
autre *other, another, else*
autrefois *in the past*
autrement *otherwise* autrement que *other than*
l'Autriche *(f)* *Austria*
aux = à + les
avaler *to swallow*
avant *before*
l'avantage *(m)* *advantage*
avec *with*
l'avis *(m)* *opinion*
†avoir (*pp* eu) *to have* avoir à *to have to*
avouer *to admit*

B

✱se baigner *to go swimming*
le bal *ball, dance*
la balade *ramble, walk*
la balle *bullet, shot* cent balles *(colloq)* *one franc*
la banlieue *suburbs, outskirts*
la banque *bank*
la barbe *beard*
le barman *barman*
le barrage *dam*
bas: de haut en bas *up and down*
la base *basis* à base de *based on, made up of*
basé *based*
le bateau *boat*
la batterie de cuisine *pots and pans*
le bazar *general goods*
beau (*f* belle) *beautiful, lovely; good-looking; fine* il fait beau *it's fine/good weather*
beaucoup *a lot, (very) much* beaucoup de *lots of*
le beau-frère *brother-in-law*
la beauté *beauty*
belge *Belgian* le/la Belge *Belgian (person)*
belle (*see* beau)
la belle-famille *in-laws*
ben *(colloq)* = bien
bénéficier *to benefit*
bénévole *voluntary, volunteer*
bénévolement *unpaid*
besoin: avoir besoin de *to need* si besoin était *if it was necessary*
bête *stupid, silly*
le beur *(slang)* *child born in France of North African immigrant parents*
le beurre *butter*
Beyrouth *Beirut*
la bibliothèque *library*
bien *well, good; very, really, a lot; properly; fine, OK* bien que *although*
le bienfait *benefit*
bientôt *soon* à bientôt *see you soon*
la bière *beer*
bilingue *bilingual*
le billet *ticket*
biologique *organic*
le/la biologiste *biologist*
bizarre *strange, odd*
blanc (*f* blanche) *white*
le blé *wheat*
blessé *wounded*
la blessure *injury, wound*
bleu *blue*
blond *fair-haired, blond*
✱se blottir *to nestle*
le bœuf *beef*
†boire (*pp* bu) *to drink*
le bois *wood*

la boîte *box; tin, can*
bon *good, fine; well* bon ben *(colloq)*
well ah bon? *really?* il fait bon *it's*
nice
bon (*f* bonne) *good; nice; right, correct*
bonnes vacances! *have a good holiday!*
le bonbon *sweet*
bonjour *good morning, good day*
le boomerang *boomerang*
le bord *edge; bank, shore* à bord *aboard*
au bord de la mer *at the seaside*
bossu *hunchbacked*
la bouche *mouth*
la bouchée *mouthful*
la boucherie *butchery*
bouffer *(colloq)* *to eat*
bouger *to move, budge* ✳se bouger *to*
move, shift (oneself)
la bouillabaisse *type of fish stew*
bouillant *boiling*
le boulanger *baker*
la boulangerie *bakery*
les boules *(fpl)* *bowls*
le boulgour *bulgar/burghul wheat, cracked*
wheat
le boulot *(colloq)* *job*
bourguignon (*f* bourguignonne) *Burgundian*
le bout *end* au bout de *after*
la bouteille *bottle*
branché *(colloq)* *with it, trendy*
le bras *arm*
bravo! *well done!*
le brevet *diploma, certificate*
briller *to shine*
le bris *breaking*
briser *to break, smash*
britannique *British*
les bronches *(fpl)* *bronchial tubes*
la bronchite *bronchitis*
brosser *to brush*
le brouillard *fog*
brûler *to burn*
la brûlure *burn*
brumeux (*f* brumeuse) *foggy*
Bruxelles *Brussels*
bruyant *noisy*
le bureau *office*
le but *aim, purpose*

C

ça (=cela) *that, it*
le cadeau (*pl* cadeaux) *present*
le cadre *frame; setting; executive,*
manager le cadre supérieur *senior*
executive
le café *coffee; café*
la caisse *till, cashdesk*
le caissier, la caissière *cashier*
calme *peaceful, quiet*

le calme *peace, peace and quiet*
calmer *to soothe* calmant *soothing*
le/la camarade *friend, mate*
cambrioler *to burgle*
le cambrioleur *burglar*
le camion *lorry*
la camionnette *van*
la camomille *camomile*
la campagne *country, countryside* en
pleine campagne *in the heart of the*
countryside
le campement *camp, encampment*
camper *to camp*
le camping *camping; camp(site)*
le camping-car *camping-van*
le candidat *candidate*
canoë: faire du canoë *to go canoeing*
le canotage *boating, rowing*
la capitale *capital*
le capuchon *cap*
le car *coach, bus*
car *because*
la caractéristique *characteristic*
la caravane *caravan*
la carotte *carrot*
la carrière *career*
la carte *(post)card; map; menu* la carte
postale *postcard*
le cas *case; situation, position* c'est le cas
de . . . *that's the case with . . .* en cas
de *in the event/case of* en tout cas *in*
any case
la caserne *(fire) station*
casser *to break*
la casserole *saucepan*
cause: à cause de *because of*
causer *to chat, talk*
ce, cet (*f* cette) *this; that* ce . . .-là *that . . .*
ce que *what* ce qui *that, which; what*
ceci *this*
cela *that*
célèbre *famous*
célibataire *unmarried*
celui, celle *this (one)* celui-ci, celle-ci
this one
cent *a/one hundred* pour cent *per cent*
centenaire *a hundred years old*
le centimètre *centimetre*
la centrale nucléaire *nuclear power station*
le centre *centre*
cependant *however*
la céréale *cereal*
certain *certain* certain(e)s *some
(people)* certainement *certainly*
ces (*f* cettes) *these; those*
ceux (*f* celles) *these (ones); those (ones)*
chacun *each (one, person)*
chagriner *to distress, upset*
la chaîne *chain*
la chaise *chair*
la chaleur *heat, warmth*
chaleureux (*f* chaleureuse) *warm*
le chambranle *door jamb/frame*

la chambre *(bed)room*
le champignon *mushroom*
la chance *(good) luck; chance* avoir de la
    chance *to be lucky, in luck* c'est pas
    de chance! *that's bad luck!*
le change *exchange*
le changement *change*
    changer *to change*
la chanson *song*
    chanter *to sing*
le chanteur *singer*
le chapeau *hat*
le chapitre *chapter*
    chaque *each*
    charge: prendre en charge *to take charge*
    of à charge *in one's care*
    chargé de *in charge of, responsible for*
    charger *to load* ✱se charger de *to see to*
    charitable *charitable, charity*
    charmant *charming*
le charpentier *carpenter*
la chasse *hunting*
    chasser *to hunt*
le chasseur *hunter*
le chat *cat*
le château *(pl* châteaux) *castle*
    chaud: il fait chaud *it's hot (weather)*
    chauffer *to heat*
le chauffeur *driver*
le chaume *thatch*
la chaumière *thatched cottage*
la chaussure *shoe*
le chef d'orchestre *conductor*
le chemin *road, way* en chemin *on the*
    way
    cher *(f* chère) *dear; expensive* coûter
    cher *to cost a lot, be expensive*
    chercher *to look for* aller chercher *to*
    fetch, get
    chéri(e) *darling*
les cheveux *(mpl) hair*
la cheville *ankle*
    chèvre: le fromage de chèvre *goat's milk*
    cheese
    chez *to/at someone's house/place;*
    (to/at) home
    chien: en chien de fusil *curled up*
le chiffre *figure*
    chimique *chemical*
le chocolat *chocolate*
    choisir *to choose*
le chômage *unemployment* au chômage
    unemployed
le chômeur, la chômeuse *unemployed*
    person
la chose *thing*
    chouette *great, super, terrific*
    chrétien *(f* chrétienne) *Christian*
    chronique *chronic*
la chute *fall*
    ciao *(Italian) 'bye*
la cigarette *cigarette*
le cinéma *cinema*

    cinq *five*
une cinquantaine *about fifty, fifty-ish*
    cinquième *fifth*
la circonstance *circumstance*
le circuit *tour, trip*
le citadin *town/city-dweller*
la cité *city, town*
    citer *to quote*
le citron *lemon*
    citronné *sprinkled with lemon juice*
la civilisation *civilisation*
    clair *fair, light-coloured*
    classique *classic(al)*
le classique *classical music*
le client *customer*
le climat *climate*
la cloche *bell*
la cloque *blister*
le club *club*
le cœur *heart*
    cogner *to knock*
le coin *corner; area, place*
    collectif *(f* collective) *collective*
la collectivité *organisation*
le/la collègue *colleague*
la colline *hill*
le collyre *eye-lotion*
la colonne *column*
    combien *how much; how many*
    combien de temps *how long*
    comique *comic*
le comité *committee*
la commande *order*
    commander *to order*
    comme *as; since; like* comme si *as if*
    commémorer *to commemorate*
    commencer *to begin, start*
    comment *how* comment ça? *what do*
    you mean?
le commerçant *shopkeeper*
le commerce *commerce*
    †commettre *(pp* commis) *to commit*
    en commun *together*
la communauté *community*
la communication *communication*
la communion *first communion*
    communiquer *to communicate*
la compagne *companion, girlfriend*
le compagnon *companion, partner*
    complet *(f* complète) *complete, full*
    complètement *completely, quite*
    compléter *to complete*
le complexe *complex*
le complice *accomplice*
le compliment *compliment*
    compliqué *complicated*
    comporter *to consist of*
✱se comporter *to behave*
    composé de *composed of*
la composition *composition*
    †comprendre *(pp* compris) *to consist of; to*
    understand
la compression *compression*

compte: rendre des comptes à   *to be accountable to*
compter   *to count; to reckon (on)*
concassé   *crushed*
la concentration   *concentration*
concerner: en ce qui concerne ...   *as far as ... is concerned, as regards ...*
concerné   *involved*
le concert   *concert*
la concession   *concession*
la concierge   *concierge, caretaker*
le concurrent   *competitor*
la condition   *condition*
†conduire (*pp* conduit)   *to take; to drive*
la conduite   *driving*
la conférence   *lecture*
le conflit   *conflict*
confortable   *comfortable*
confortablement   *comfortably*
congelé   *frozen*
les congés (*mpl*) scolaires   *school holidays*
la conjonctivite   *conjunctivitis*
connaissance: faire la connaissance de   *to meet, get to know*   perdre connaissance   *to lose consciousness*   les connaissances   *knowledge*
†connaître (*pp* connu)   *to know; to get to know; to experience*
connu   *well-known*
†consentir   *to agree*
conservé   *preserved*
les conserves (*fpl*)   *tinned food*
considérer   *to consider, believe*
consister à   *to consist of*
la consommation   *consumption*
consommer   *to consume*
constater   *to notice, discover*
constituer   *to constitute*
la construction   *construction*
†construire (*pp* construit)   *to build*
contacter   *to contact*
†contenir (*pp* contenu)   *to contain*
continu   *continuous*
continuer   *to continue*
la contrainte   *constraint*
le contraire   *opposite*
contrairement à   *contrary to*
le contrat   *contract*
contre   *against*   par contre   *on the other hand*
les contreforts (*mpl*)   *foothills*
contribuer   *to contribute*
convaincu   *convinced*
†convenir (*pp* convenu)   *to be suitable, appropriate*
la conversation   *conversation*
la coopérative   *cooperative*
le copain, la copine   *friend, mate, pal*
Cordoue   *Cordoba*
le corps   *body*   le corps gras   *greasy substance*
correspondre à   *to correspond to*
la côte   *coast*   la Côte d'Azur   *the Riviera*

le côté   *side*   de ce côté-là   *in this area*   du côté de   *in the area/region of*   laisser de côté   *to neglect, ignore*   à côté   *nearby*   à côté de   *next to*
le cou   *neck*
coucher   *to put to bed; to sleep*   ✱se coucher   *to go to bed*
la couchette   *couchette*
le coude   *elbow*
couler   *to run*
coup: le coup de soleil   *sunburn*   le coup de téléphone   *telephone call*
couper   *to cut*
le couple   *couple*
couramment   *fluently*
courant: dans le courant de   *in the course of*   courant   *general*
†courir (*pp* couru)   *to run; to go round*
le courrier   *(newspaper) column*
le cours   *class*   au cours de   *in the course of*
coûter   *to cost*
la couverture   *blanket*
†couvrir (*pp* couvert)   *to cover*
†craindre (*pp* craint)   *to fear*
la création   *creation*
crédit: porter crédit à   *to give credence to*
créer   *to create*
le créole   *Creole (language)*
le cri   *call*
†croire (*pp* cru)   *to believe, think*   croire à   *to believe in*
la Croix Rouge   *Red Cross*
la croûte   *crust*
cru   *raw*
le cube   *cube*
†cueillir   *to gather, pick*
la cuillère à soupe   *approx. tablespoon(ful) (lit. soupspoon)*
†cuire (*pp* cuit)   *to cook*
la cuisine   *kitchen; cuisine, cooking*
cuisiner   *to cook*
la cuisson   *cooking*
cuivrique   *cupric*
cultiver   *to grow*
la culture   *culture*   la culture biologique   *organic farming*
culturel (*f* culturelle)   *cultural*
le culturisme   *body-building*
la cure   *cure*
le curé   *parish priest, vicar*

D

la dame   *lady, woman*
le danger   *danger*
dans   *in*
la danse   *dance, dancing*
danser   *to dance*
le danseur   *dancer*
dare-dare (*colloq*) · *double quick*

la date *date*
de *from; of*
débarquer *to land*
✱ se débarrasser de *to get rid of*
déboutonner *to unbutton, undo*
✱ se débrouiller *to manage, get by*
le début *beginning*
décembre *December*
décharger *to unload*
décider *to decide*
la décision *decision*
déclarer *to declare*
le décor *set*
découper *to cut out*
découverte: partir à la découverte *to go off exploring*
†découvrir (*pp* découvert) *to discover*
dedans *inside, in it*
†défaire (*pp* défait) *to undo, take down, dismantle*
défavorisé *underprivileged, disadvantaged*
le défilé *procession, parade*
la définition *definition*
définitivement *permanently, for good*
déguster *to taste*
dehors: en dehors de *outside; apart from*
déjà *already*
le déjeuner *lunch* le petit déjeuner *breakfast*
délicieux (*f* délicieuse) *delicious*
demain *tomorrow*
la demande *request*
demander *to ask (for); to require* ✱ se demander *to wonder*
la démarche *step*
déménager *to move house*
la demeure *residence*
demi: à demi *half* ... heures et demie *half past* ...
la demi-heure *half an hour*
démocratique *democratic*
la démonstration *demonstration*
dénoyauter *to core*
la dent *tooth*
dépanner *to fix, repair (car)*
le départ *departure*
le département *Department (French administrative area)*
dépassé *out-moded*
dépasser *to overtake*
dépendre *to depend*
le déplacement *trip*
déplacer *to move*
†déplaire (*pp* déplu): ... me déplaît *I don't like* ...
le dépliant *leaflet*
depuis *since, from; for*
déranger *to disturb, bother*
dérivé *derived*
dernier (*f* dernière) *last; latest*
dérober *to steal*
✱ se dérouler *to occur, take place*
derrière *behind*

des — de + les
dès *from* dès que *as soon as, when*
désabusé *disillusioned*
descendre *to go down*
déshabiller *to undress*
déshydraté *dehydrated*
désirer *to want*
désolé *distressed, sorry*
le dessert *dessert*
le dessin *drawing*
dessous *underneath*
dessus *on top; on it* au-dessus de *over*
la destination *destination*
destiner *to intend*
destructeur (*f* destructrice) *destructive*
la détente *relaxation*
détester *to detest, hate*
†détruire (*pp* détruit) *to destroy*
deux *two* tous les deux *both*
deuxième *second*
devant *in front of*
la devanture *shop window, shop front*
le développement *development*
✱ †devenir (*pp* devenu) *to become*
dévisser *to unscrew*
†devoir (*pp* dû) *to owe; to have to, must*
le dialecte *dialect*
le dictionnaire *dictionary*
la diététique *dietetics*
la différence *difference*
différent *different*
difficile *difficult, hard*
la difficulté *difficulty*
diffuser *to broadcast*
dimanche *Sunday*
la dimension *size*
dîner *to dine, have dinner*
le dîner *dinner*
le diplôme *diploma*
†dire (*pp* dit) *to say; to tell* disons *let's say* dis donc, dites donc *by the way; hey!, you don't say!* comment dire? *how shall I put it?*
directement *directly, straight*
le directeur, la directrice *director, manager*
la direction *direction; administration, management*
la discothèque *record library; nightclub, disco*
la discrétion *discretion*
†disparaître (*pp* disparu) *to disappear*
disponible *available, ready*
disposer de *to have at one's disposal, have available*
la disposition *disposal*
✱ se disputer *to argue*
le disque *record*
✱ se dissimuler *to be concealed*
la distance *distance*
✱ †se distraire (*pp* distrait) *to amuse oneself*
distribuer *to distribute*
la distribution *distribution*
divisible *divisible*

le divorce *divorce*
　divorcer *to get divorced* divorcé *divorced*
　dix *ten*
une dizaine *about ten*
le/la docteur *doctor*
　la documentation *(f)* *archive/research work*
　le dodo *(colloq)* *sleep, nap*
　le doigt *finger*
　le domaine *area, sphere*
　à domicile *at home*
　dominer *to predominate, stand out; to overlook; to master, control*
　le don *donation*
　donc *so, therefore; well*
　donner *to give*
　dont *of/about/in which; of/from whom*
　dorer to brown ✳se dorer *to get a tan*
　†dormir *to sleep*
　le dos *back*
　la douche *shower*
　la douleur *pain*
　doute: sans doute *without doubt, no doubt*
une douzaine *dozen*
　douze *twelve*
　dresser: faire dresser les cheveux sur la tête *to make someone's hair stand on end*
　droit *right*
　le droit *right* avoir droit à *to be entitled to*
　la droite *right* à droite *to/on the right*
　drôle *funny* drôlement *(colloq)* *pretty, terribly*
　du = de + le
　duquel *of which*
　dur *hard*
　durant *during*
　durer *to last*

E

　l'eau *(f)* *water*
　écarter *to spread (out)*
　échanger *to exchange*
✳s'échapper *to escape*
　l'échelle *(f)* *scale*
　éclater *to break out*
　l'école *(f)* *school* l'école maternelle *nursery school* l'école supérieure de commerce *college of commerce*
　l'écologie *(f)* *ecology*
　écologique *ecological*
　écouter *to listen (to)*
　†écrire *(pp* écrit*)* *to write*
　l'éducation *(f)* *education; upbringing*
　effectivement *indeed*
　l'effet *(m)* *effect*
　efficace *efficient*
✳s'efforcer *to try hard, strive*
　l'effort *(m)* *effort*
　l'église *(f)* *church*

　égoutter *to drain*
　élaborer *to elaborate, work on*
　l'élan *(m)* *spirit*
　électrique *electric*
　électronique *electronic*
　l'élément *(m)* *element*
　l'éléphant *(m)* *elephant*
　l'élève *(m/f)* *pupil*
　élever *to bring up*
　elle *she; her; it* elles *they; them*
　l'Élysée *the Elysée Palace (residence of the French President)*
　embêter *to annoy, irritate*
　l'embouteillage *(m)* *traffic jam*
　l'émission *(f)* *programme*
　emmener *to take (away)*
　empêcher *to prevent*
　l'emploi *(m)* *use; job, employment*
　l'employé *(m)* *employee*
　employer *to use, employ*
　emporter *to take*
　emprunter *to borrow*
　en *in; to*
　en *of it/them, etc*
　enchanté *delighted*
　encore *still; yet; again* encore une fois *again, once more*
　encrassé *clogged up*
　l'endroit *(m)* *place*
　l'énergie *(f)* *energy*
　énerver *to annoy, irritate* ✳s'énerver *to get annoyed*
　l'enfance *(f)* *childhood*
　l'enfant *(m/f)* *child* les enfants *children*
　enfermé *locked up*
　enfin *at last, finally; in fact, in short, I mean; well*
✳s'enflammer *to catch fire*
✳†s'enfuir *to escape*
✳s'engager *to undertake, promise*
　enlever *to take off*
　ennuyer *to bother*
　énorme *enormous*
　énormément *enormously, an enormous amount of*
　l'enregistrement *(m)* *recording*
✳s'enrichir *to be(come) enriched*
　l'enseignant(e) *(m/f)* *teacher*
　l'enseignement *(m)* *teaching*
　enseigner *to teach*
　l'ensemble *(m)* de *the whole/all of*
　ensuite *then*
　entailler *to cut, nick*
　entendre *to hear* entendu *understood, fine; knowing* bien entendu *of course* entendre parler de *to hear of* ✳s'entendre *to get on well together*
　enthousiaste *enthusiastic*
　entier *(f* entière*)* *whole, entire*
　entièrement *entirely, completely*
　l'entourage *(m)* *friends (and family)*
　entourer *to surround*

*s'entraider to help one another
l'entrain (m) liveliness, alertness
entre between; among
†entreprendre (pp entrepris) to undertake
l'entreprise (f) firm, business
*entrer to enter, get in; to join
†entretenir (pp entretenu) to support, keep
envahir to invade
envelopper to wrap (up)
l'envers (m) reverse side à l'envers
    upside down
envie: avoir envie de to want to, feel like
environ around, about
environnant surrounding
l'environnement (m) environment
les environs (mpl) surroundings
envisager to contemplate
envoyer to send
l'épaule (f) shoulder
épeler to spell
l'épicerie (f) liquide drinks section
éplucher to peel
à l'époque at the time
l'épouse (f) wife
épouser to marry
équilibrer to balance
l'équipe (f) team
l'équipement (m) equipment
    les équipements facilities
équitablement fairly
l'équitation (f) horse-riding
l'équivalent (m) equivalent
l'erreur (f) error, mistake
l'escalope (f) escalope
l'escalade (f) rock-climbing
l'espace (m) space, distance
l'Espagne (f) Spain
l'espagnol (m) Spanish (language)
espérer to hope
l'esprit (m) mind
essayer to try
essentiel (f essentielle) essential, basic
essentiellement essentially, mainly
essuyer to wipe
l'est (m) east
estimer to estimate
et and
l'établissement (m) establishment
l'étagère (f) shelf
l'étang (m) pond
l'état (m) state, condition
l'été (m) summer
l'Éthiopie (f) Ethiopia
les Éthiopiens (mpl) the Ethiopians
l'étiquette (f) label, ticket
étonnant surprising
étrange strange
étranger (f étrangère) foreign
l'étranger (f l'étrangère) foreigner
*†être (pp été) to be est-ce que ...?
    is/does ...?
l'être (m) humain human being
étude: faire des études (fpl) to study

faire ses études to be educated
l'étudiant(e) (m/f) student
étudier to study
l'Europe (f) Europe
européen (f européenne) European
eux them eux-mêmes themselves
évacuer to evacuate, get rid of
évangéliste evangelist(ic)
l'événement (m) event
éventuel (f éventuelle) possible
évidemment obviously; of course
éviter to avoid
évoluer to evolve, develop
exactement exactly
examiner to examine
excellent excellent
exceptionnel (f exceptionnelle) exceptional,
    unusual
exclusivement exclusively, solely
l'excursion (f) excursion, trip
l'excuse (f) excuse
excuser to excuse
l'exemple (m) example par exemple for
    example donner l'exemple to set an
    example
l'exercice (m) exercise
exigeant demanding
exister to exist
l'expérience (f) experience; experiment
l'expert (m) expert
l'explication (f) explanation
expliquer to explain
l'exploitation (f) concern, business
l'expression (f) expression
*s'exprimer to express oneself
à l'extérieur out of doors
extra (colloq) first-class, great, terrific
extraordinaire special, remarkable
l'extrémité (f) edge

F

la fabrication making
la face side faire face à to face face à
    facing, face to face with en face de
    opposite
fâché angry
facile easy facilement easily
la facilité ability
la façon way, manner de toute façon in
    any case
la factrice postwoman
la faïence earthenware
la faim hunger manger à sa faim to eat
    one's fill
†faire (pp fait) to make; to do; to measure
    ça (ne) fait rien it doesn't matter ce
    qui fait que which means that
    faire + infinitive to make something
    happen; to get something done *se
    faire à to get used to

le fait *fact; event* du fait que *owing to the fact that, because* en fait *in (actual) fact*

†falloir (*pp* fallu): il faut *you (etc) need, must, have to; it is necessary; it takes*

familial *family*

familièrement *informally*

la famille *family* en famille *with the family*

la fantaisie *fancy, whim*

fantaisiste *unconventional*

fantastique *fantastic*

fastidieux (*f* fastidieuse) *tedious*

fatigant *tiring*

fatigué *tired*

la faune *wildlife*

faux (*f* fausse) *false*

le favori *favourite*

féminin *feminine; female*

féministe *feminist*

la femme *woman; wife*

la fenêtre *window*

le fer *iron*

la ferme *farm*

la fête *holiday; celebration*

feu: prendre feu *to catch fire* faire feu *to fire* le feu d'artifice *fireworks (display)*

la feuille *sheet*

le feuilleton *serial, soap opera*

la fiche *sheet, slip*

la fiction *fiction*

fidèle *faithful*

la figue *fig*

la fille *girl; daughter* la jeune fille *(young) girl*

la fillette *(little) girl*

le film *film*

le fils *son*

la fin *end*

finalement *finally, in the end*

finir *to finish, end up*

le flacon *bottle, flask*

la fleur *flower*

la fois *time* à la fois *at the same time, equally*

en fonction de *according to*

fonctionner *to function, work, go*

le fond *bottom; end* à fond *right down; thoroughly*

fondamental (*pl* fondamentaux) *fundamental, basic*

la fondatrice *founder*

le fondement *foundation*

fonder *to set up*

fondu *melted*

le footing *jogging*

forcément *necessarily*

forcer *to force*

la forêt *forest*

la formation *training*

forme: sous forme de *in the form of*

formel (*f* formelle) *formal*

former *to form; to train*

formidable *great, tremendous*

fort *strong; good, great; strongly; hard; very*

le foulard *scarf*

le four *oven*

le fourgon *van* le fourgon-camping *camping-van*

fournir *to provide*

le foyer *home*

frais (*f* fraîche) *fresh*

le franc *franc*

français *French* le français *French (language)* le/la Français(e) *Frenchman/woman*

la France *France*

francophone *French-speaking*

le frère *brother*

le fric *(slang) money; cash, dough*

frigorifique *(of) refrigeration*

le frigoriste *refrigeration engineer*

le froid *cold* il fait froid *it's cold (weather)*

le fromage *cheese* le fromage de chèvre *goat's milk cheese*

la Fronde *French revolt against Mazarin in 17th century*

le front *forehead*

frotter *to rub*

le fruit *fruit*

fuite: prendre la fuite *to take flight, run away*

fumer *to smoke*

la fusée *rocket*

le fuyard *runaway, fugitive*

G

gagner *to earn; to win*

le garagiste *garage man, mechanic*

le garçon *boy*

garde: se tenir sur ses gardes *to be on one's guard*

garder *to keep*

la gare *station*

∗se garer *to park*

le gastronome *gastronome*

le gâteau (*pl* gâteaux) *cake*

gauche *left* à gauche *on the left*

le gave *mountain stream/torrent (in Pyrenees)*

le gel *frost*

geler *to freeze*

gêner *to bother; to obstruct, get in the way*

en général *in general, generally*

généralement *generally*

la génération *generation*

généreux (*f* généreuse) *generous*

génial *brilliant*

le genou (*pl* genoux) *knee*

le genre *type, sort, kind*

les gens *(mpl)* *people*

gentil (*f* gentille) *nice, kind*

le geste *gesture*
la gestion *management*
le gibier *game*
le gingembre *ginger*
la girafe *giraffe*
la glace *ice-cream*
globalement *altogether*
∗se goinfrer *(colloq) to gorge oneself, guzzle*
gonfler *to swell up*
la gorge *throat; gorge*
le gourmand *gourmand*
le goût *taste*
le goûter *tea, teatime snack*
goûter (à) *to taste; to try, sample*
grâce à *thanks to*
la graine *seed*
le gramme *gram*
grand *big; great; grown-up* les grandes
vacances *summer holidays*
la Grande Bretagne *Great Britain*
grandir *to grow up*
le grand-père *grandfather*
les grands-parents *(mpl) grandparents*
gratuitement *free*
grave *serious*
Grenade *Granada*
le gril *grill*
grillé *grilled*
gros (f grosse) *big, large; great*
la grotte *cave*
le groupe *group*
guère: ne ... guère *hardly* (ne) plus
guère *hardly any more*
la guerre *war*
le guide *guide*
les guillemets *(mpl) inverted commas*

H

ha = hectare
l'habitant(e) *(m/f) inhabitant, resident*
l'habitation *(f) house, dwelling*
habiter *to live (in)*
l'habitude *(f) habit*
habituel (f habituelle) *usual*
∗s'habituer à *to get used to*
halte: faire halte *to stop (off)*
le hard rock *hard rock*
le hasard *(m) chance* par hasard *by chance*
le haussement *(m) d'épaules shrug*
haut: de haut en bas *up and down*
l'hectare *(m) hectare*
hein *eh*
hélas *alas, unfortunately*
l'hémorragie *(f) bleeding, haemorrhage*
l'hépatite *(f) hepatitis*
l'herbe *(f) herb*
l'héroïne *(f) heroine*
hésiter *to hesitate*
l'heure *(f) hour* à quelle heure? *(at)*
what time? ... heures ... *o'clock*
à la première heure *first thing (in the morning)* à l'heure actuelle
nowadays, at the present time
heureux (f heureuse) *happy*
heureusement *luckily*
hier *yesterday*
hindou *Hindu*
l'histoire *(f) story* c'est une histoire de
it's a matter of, it's to do with
l'hiver *(m) winter*
hocher *to shake*
les Hollandais *(mpl) Dutch (people)*
l'homme *(m) man*
homo = homosexuel (f homosexuelle)
homosexual
l'hôpital *(m) hospital*
l'horaire *(m) timetable*
l'hôtel *(m) hotel*
l'hôtelier *(m) hotelier*
l'huile *(f) oil*
huit *eight*
l'huître *(f) oyster*
humain *human*
humanitaire *humanitarian*
humide *damp*
l'humour *(m) (sense of) humour*

I

ici *here* par ici *around here* d'ici
(jeudi) *before (Thursday)*
l'idée *(f) idea*
il *he; it* ils *they*
illuminé *illuminated, lit up*
l'illustration *(f) illustration*
l'image *(f) image, picture*
imaginaire *imaginary*
imaginer *to imagine; to picture*
imbibé *soaked*
imiter *to imitate*
immédiat *immediate* immédiatement
immediately
l'immeuble *(m) building, block of flats*
l'immigration *(f) immigration*
immigré *immigrant*
l'impact *(m) impact, mark*
l'impatience *(f) impatience*
impensable *unthinkable*
impérativement *without fail*
important *important; extensive*
importer: n'importe *no matter* n'importe
qui *anyone* n'importe quoi *anything*
imposer *to impose*
impossible *impossible*
l'impôt *(m) tax*
l'impression *(f) impression*
impressionnant *impressive*
incompréhensible *incomprehensible*
inconscient *unconscious*
l'inconvénient *(m) disadvantage, drawback*

195

incroyable *incredible*
l'indépendance *(f)* *independence*
indiquer *to show, indicate; to mark*
indiscret (*f* indiscrète) *indiscreet*
indispensable *indispensable, essential*
inévitable *inevitable*
inférieur *lower*
l'infirmière *(f)* *nurse*
influencer *to influence*
l'information *(f)* *information*
informel (*f* informelle) *informal*
informer *to inform*
infuser *to infuse*
l'infusion *(f)* *infusion*
l'ingénieur *(m)* *engineer*
l'ingrédient *(m)* *ingredient*
l'initiation *(f)* *introduction*
l'initiative *(f)* *initiative*
initier *to introduce*
injuste *unfair*
inquiétant *disturbing, worrying*
* s'inquiéter *to worry*
l'inquiétude *(f)* *anxiety, worry*
* † s'inscrire (à) (*pp* inscrit) *to put down one's name (for)*
insolite *unusual*
insoluble *insoluble*
inspirer *to breathe in*
l'installation *(f)* *fitting out* l'installation d'accueil *reception area*
* s'installer *to move in; to settle (in); to sit (down)*
l'instant *(m)* *moment*
l'instillation *(f)* *application of drops*
l'instituteur *(m)*, l'institutrice *(f)* *teacher*
l'institution *(f)* *institution*
les instructions *(fpl)* *instructions, directions*
insupportable *unbearable*
intelligent *intelligent*
intention: avoir l'intention de *to intend to*
interdit *prohibited*
intéressant *interesting; advantageous*
intéresser *to interest* * s'intéresser à *to be interested in*
l'intérêt *(m)* *interest*
à l'intérieur de *within*
intérieurement *internally*
l'interlocuteur *(m)* *person one is speaking to*
interpeller *to take in for questioning*
interposer *to interpose, place between*
interroger *to question, ask*
l'intervalle *(f)* *interval*
† intervenir dans (*pp* intervenu) *to be involved in, affect*
l'intervention *(f)* *intervention*
l'interview *(f)* *interview*
l'intervieweur *(m)* *interviewer*
intituler *to call*
l'intuition *(f)* *intuition*
l'invasion *(f)* *invasion*
inviter *to invite*
l'irritation *(f)* *irritation*

irriter *to irritate*
l'isard *(m)* *izard, wild goat*
l'isolement *(m)* *isolation*
issu de *born of*

J

le japonais *Japanese (language)*
jamais *never; ever*
la jambe *leg*
le jambon *ham*
janvier *January*
le jardin *garden* le jardin potager *vegetable garden*
jauni *yellowed*
le jazz *jazz*
je *I*
Jérusalem *Jerusalem*
le jeu (*pl* jeux) *game*
jeudi *Thursday*
jeune *young*
joli *pretty, attractive*
jongler *to juggle*
jouer *to play; to act*
joufflu *chubby-cheeked*
le jour *day* voir le jour *to be born* au jour le jour *from day to day* de nos jours *these days* le jour de l'An *New Year, New Year's Day*
le journal (*pl* journaux) *newspaper*
le/la journaliste *journalist*
la journée *day*
jouxter *to adjoin*
joyeux (*f* joyeuse) *happy, joyful*
juger *to judge* jugez-en vous-même *judge for yourself*
juillet *July*
jumeau (*f* jumelle, *pl* jumeaux) *twin*
le jumelage *twinning*
juridique *legal*
le jury *jury*
le jus *juice*
jusqu'à *as far as; up to; until*
juste *just* au juste *exactly* justement *just; precisely, exactly; in fact*
juxtaposé *side by side with, next to*

K

le kilo *kilo(gram)*
le kilomètre *kilometre*
le/la kinésithérapeute *physiotherapist*
le klaxon *(car) horn*
klaxonner *to sound one's horn*

L

la *the; it; her*
là *there; here* ce(t) ... -là *that ...*
   là-bas *over/round/down there*
   là-dessus *on/about it* par là *round
   there; by that*
le lac *lake*
laine: la petite laine *woolly (jumper)*
laisser *to leave; to let*
la lampe électrique *torch*
lancer *to start up* *se lancer dans *to
   launch oneself into, to go into*
la langue *language*
largement *thickly*
le latin *Latin (language)*
le lavandin *lavandin, hybrid lavender*
laver *to wash, clean*
le *the; it; him*
la leçon *lesson*
la lecture *reading*
   légal *legal*
   légèrement *lightly*
la législation *legislation*
le légume *vegetable*
le lendemain *next day, day after*
   lentement *slowly*
la lentille de contact *contact lens*
lequel, laquelle, lesquels, lesquelles *that,
   which*
les *the; them*
la lettre *letter*
leur *(to/for) them*
leur *their*
lever *to lift, raise*
le Liban *Lebanon*
   libanais *Lebanese*
   libéré *liberated*
la liberté *freedom*
   libre *free; spare*
   lié: être lié avec quelqu'un *to be friends
   with someone*
le lieu *place* les lieux *establishment,
   premises* au lieu de *instead of* avoir
   lieu *to take place*
les Lilliputiens (mpl) *Lilliputians*
les Lillois (mpl) *people/inhabitants of Lille*
le linge *cloth*
le liquide *liquid*
†lire *(pp lu) to read*
la liste *list*
le lit *bed* le grand lit *double bed* deux
   lits *twin beds*
   literie: la partie literie *sleeping area*
le livre *book*
   local *local*
le local *room; venue* les locaux *premises*
la location de voitures *car hire/rental*
le logement *housing; flat, apartment*
   loger *to accommodate, fit in*
la loi *law* devant la loi *in the eyes of the
   law*

loin *far away, far from* plus loin *further
   (on)*
les loisirs (mpl) *leisure (activities)*
   londonien (f londonienne) *of London*
   Londres *London*
   long (f longue) *long*
   longer *to go along*
   longtemps *(for) a long time*
la longueur *length*
   lors de *at (the time of)*
   lorsque *when*
   louer *to hire*
   lourd *heavy*
   lui *(to/for) him/her/it*
   lundi *Monday*
les lunettes (fpl) *glasses* les lunettes de
   soleil *sunglasses*
   luxe: grand luxe *de luxe, luxury*
le lycéen *secondary school pupil*
   lyonnais *of/from Lyons* les Lyonnais
   (mpl) *inhabitants of Lyons*

M

le machin *gadget*
   madame: Madame ... *Mrs ...*
   mesdames *ladies*
le magasin *shop*
   magnifique *magnificent*
le maillot (de bain) *swimming costume*
la main *hand* à la main *in one's hand*
   maintenant *now*
†maintenir *(pp maintenu) to maintain*
   *se maintenir *to last*
le maire *mayor*
la mairie *town hall; town council*
   mais *but*
la maison *house* à la maison *at home*
   la maison de retraite *retirement home,
   old people's home*
le maître *master, man in charge*
la maîtrise *expertise; MA*
   majeur *major*
   mal *bad, badly, not properly* pas mal
   not bad; quite a bit pas mal de *quite
   a few* avoir du mal *to have trouble/
   difficulty* se faire mal *to hurt oneself*
   malade *ill*
la maladie *illness*
le malfaiteur *malefactor, burglar*
   malgré *despite, in spite of*
   malheureusement *unfortunately*
   maman *mother, mum*
la manche *sleeve*
   manger *to eat*
la mangue *mango*
la manière *way* de manière ... *in a ... way*
le manque *lack*
   manquer *to miss; to be lacking/missing*
   manuel (f manuelle) *manual, practical*

marche: les chaussures de marche *walking shoes*
le marché *market*
marcher *to work*
le mari *husband*
le mariage *marriage; wedding*
marier *to marry* marié *married* ✳se marier *to get married*
la marieuse *matchmaker*
la marinade *marinade*
marine: le terme de marine *nautical term*
mariner *to marinade*
le Maroc *Morocco*
la marque *mark*
marrant *(colloq) funny*
le marron *chestnut*
mars *March*
le marteau *hammer*
les Martiens *(mpl) Martians*
la mascotte *mascot*
masculin *masculine*
massacrer *to make a hash of*
matériel *(f matérielle) practical*
le matériel *equipment*
maternel: l'école maternelle *nursery school* la langue maternelle *mother tongue, first language*
la maternelle *nursery school*
le matin *morning*
la matinée *morning*
Maurice *(= l'Île Maurice) Mauritius*
mauvais *bad*
la maxime *maxim*
au maximum *to the maximum*
me *(to/for) me*
le mec *(slang) bloke, guy*
méchant *nasty*
le médecin *doctor*
les médias *(mpl) media*
le médicament *medicine*
la méditation *meditation*
le méfait *harmful effect*
meilleur *better* le meilleur *the best*
le mélange *mixture*
le melon *melon*
le membre *member*
même *same; very; even* de même *in the same way, likewise* quand même *anyway, all the same* tout de même *all the same* même si *even if*
le ménage *household, family, couple*
la mentalité *mentality*
mentionné *mentioned*
le menton *chin*
la mer *sea; seaside*
merci *thank you, thanks*
mercredi *Wednesday*
merde! *(slang) shit!, damn!*
la mère *mother*
merveilleux *(f merveilleuse) marvellous, wonderful*
le message *message*
la méthode *method*

le métier *job; profession*
le métro *Metro, underground*
†mettre *(pp mis) to put; to put on; to take, spend* ✳se mettre à *to start; to get into*
mi-: à mi-chemin *halfway* à mi-temps *half-time*
le microbe *germ*
la micro-informatique *information technology*
midi *midday* le Midi *South of France*
le mien, la mienne *mine*
mieux *better* le mieux *the best*
mignon *(f mignonne) sweet, pretty, nice-looking*
le milieu *middle*
mince *slim*
minéral *mineral*
minime *minimal*
la minute *minute*
✳se mirer *to see oneself reflected*
la mise en rayon *shelf-filling*
✳se mobiliser *to mobilise/rouse oneself*
moche *(collog) ugly, bad-looking*
à la mode *in fashion, fashionable*
moderne *modern*
modeste *modest*
les mœurs *(fpl) ways, customs*
moi *(to/for) me* moi-même *myself*
moins *less; fewer* le moins *the least* le moins … possible *the least … possible* au moins *at least* de moins en moins *less and less*
le mois *month*
la moitié *half* moitié moitié *half and half*
le moment *moment; time* en ce moment *at the moment, right now* au moment où *(at the moment) when* à ce moment-là *at that time/point*
mon, ma *(pl mes) my*
le monde *world* tout le monde *everyone*
mondial *world*
monsieur *(pl messieurs) sir; man* Monsieur … *Mr …* messieurs-dames *ladies and gentlemen*
la montagne *mountain(s)*
monter *to set up* ✳monter *to go up* ✳monter dans/à bord *to get in*
montrer *to show* ✳se montrer *to be, behave*
✳se moquer de *to make fun of, laugh at*
moral *(pl moraux) moral*
le morceau *(pl morceaux) piece, bit*
mort *dead*
mortellement *fatally*
le mot *word; note*
le moteur *engine, motor*
la motivation *motivation*
motiver *to motivate*
la moto *motorbike*
le mouchoir *handkerchief*
mouliner *to purée, put through a vegetable mill*

*†mourir (*pp* mort) *to die*
la mousse au chocolat *chocolate mousse*
la moustache *moustache*
la moutarde *mustard*
le mouvement *movement*
le moyen *means, way*
la mozzarella *mozzarella (type of Italian cheese)*
municipal (*pl* municipaux) *municipal*
la municipalité *town (council)*
le musée *museum*
le musicien *musician*
la musique *music*
musulman *Moslem*

N

la nana *(slang)* *woman, bird, chick*
la natation *swimming*
national (*pl* nationaux) *national*
la nature *nature*
naturel (*f* naturelle) *natural, normal* au naturel *served plain, au naturel*
nautique: la base nautique *sailing centre*
le nautisme *sailing*
le navet *turnip*
ne, (ne) ... pas *not* (ne) ... que *only* (ne) ... pas que *not only*
né *born*
nécessaire *necessary*
la neige *snow*
nerveux (*f* nerveuse) *nervous, tense*
net (*f* nette) *clear, definite* nettement *clearly*
nettoyer *to clean (out)*
neuf *nine*
neuf (*f* neuve) *new*
le neveu (*pl* neveux) *nephew*
névrotique *neurotic*
le nez *nose*
ni *nor*
la nièce *niece*
le niveau (*pl* niveaux) *level* au niveau de *as regards*
nocturne *night*
Noël (*m*) *Christmas*
noir *black*
le nom *name*
le nombre *number*
nombreux (*f* nombreuse) *numerous, many, quite a lot; large*
non *no* non? *right?, isn't that so?*
le nord *north*
nord africain *North African*
normal (*pl* normaux) *normal*
normand *of Normandy*
la Normandie *Normandy*
notamment *in particular*
noter *to note/write down*
notre (*pl* nos) *our*
la nourriture *food*

nous *we; us*
nouveau (*f* nouvelle, *mpl* nouveaux) *new* à nouveau, de nouveau *again*
la nouveauté *novelty*
la nouvelle *piece of news* les nouvelles *news*
novembre *November*
nucléaire *nuclear*
la nuit *night*
nul (*f* nulle) *worthless, useless*
le numéro *number*

O

l'objet (*m*) *object*
obliger *to oblige, make*
l'observation (*f*) *observation*
†obtenir (*pp* obtenu) *to obtain*
l'occasion (*f*) *chance, opportunity*
l'occupation (*f*) *job, occupation*
occuper *to occupy* occupé *busy* *s'occuper de *to be in charge of; to look after; to be involved with; to be in the business of*
l'odeur (*f*) *smell*
odieux (*f* odieuse) *appalling, loathsome*
l'œil (*m*) (*pl* les yeux) *eye*
l'œuvre (*f*) *work*
officiellement *officially*
†offrir (*pp* offert) *to offer*
l'oignon (*m*) *onion*
l'olivade (*f*) *olive harvest*
l'olive (*f*) *olive*
l'olivier (*m*) *olive tree*
l'ombrage (*m*) *shady place*
on, l'on *one; someone; we, you, etc*
l'opération (*f*) *operation*
l'opinion (*f*) *opinion*
optimiste *optimistic*
l'option (*f*) *option*
l'or (*m*) *gold*
orange *orange*
l'orchestre (*m*) *orchestra*
l'ordre (*m*) *order*
l'organisateur (*m*) *organiser*
l'organisation (*f*) *organisation*
organiser *to organise* organisé *arranged*
l'organisme (*m*) *body*
l'orgue (*m*) *organ*
l'orifice (*f*) *orifice*
originaire de *born in, native of*
l'origine (*f*) *origin* à l'origine *originally*
l'otite (*f*) *otitis*
ou *or* ou ... ou *either ... or* ou bien *or (else)*
où *where; in which* où que *wherever*
oublier *to forget*
l'ouest (*m*) *west*
oui *yes*
l'ours (*m*) *bear*

l'outil (m)   tool
ouvert   open
l'ouvrier (m)   worker
†ouvrir (pp ouvert)   to open

P

pacifique   peaceful
la page   page
la paille   straw
au pair   au pair
pâle   pale
le panier-repas   food-basket
panne: tomber en panne   to have a
  breakdown
le pansement   dressing
papa   father, daddy
les paperasses (fpl) (colloq)   papers, forms
le papier   paper
Pâques (m)   Easter
par   by; via; through; on
le paragraphe   paragraph
†paraître (pp paru)   to seem
le parapluie   umbrella
le parc   park
parce que   because
par-dessus   over (the top of)
pardon   excuse me, sorry
pareil (f pareille)   same
le parent   parent
parfait   perfect parfaitement   completely
parfois   sometimes
parfumer   to flavour
le/la Parisien(ne)   Parisian
parler   to talk; to speak tu parles! you bet!
  entendre parler de   to hear of
parmi   among
la part   part à part   separate; apart from
  de la part de   coming from d'autre
  part   on the other hand
le partage   sharing out
partager   to share
le/la partenaire   partner
participer   to take part
particulier (f particulière)   particular,
  special en particulier   in particular
  particulièrement   in particular,
  particularly
la partie   part, section; match; party faire
  partie de   to belong to, be part of
✱†partir   to go (off/away); to leave   à partir
  de   from
partout   everywhere, all over the place
pas, (ne) … pas, non pas   not pas de …
  no …
le passage   trip
le passé   past
passer   to pass (through); to go away; to
  spend/pass (time); to put someone
  through to ✱ se passer   to happen, be
  going on ✱ se passer bien   to go well

comment (est-ce-que) ça se passe?
  how does it work out?, how does it
  come about?   qu'est-ce qui se passe?
  what happens?; what's going on?
la passion   passion, love
la patience   patience
patienter: veuillez patienter   please hold on
le patois   patois
le patriotisme   patriotism
le patron   boss
la patrouille   patrol
la paupière   eyelid
pauvre   poor
payer   to pay (for)   payé   paid   sous-
  payé   underpaid
le pays   country
le Pays Basque   Basque Country
le paysage   countryside
le PDG = le président directeur général
la peau   ˟skin
la pêche   fishing
le pédalo   pedalo
pédestre   on foot
peine: faire de la peine   to upset, distress
  à peine   hardly
peiner   to upset
peler   to peel
pendant   during, for   pendant que   while
la penderie   wardrobe
pénible   distressing, upsetting
la pensée   thought
penser   to think   penser à   to think about
  j'y pense   that reminds me
  penser + infinitive   to think of (doing
  something)
percer   to pierce; to burst
perdre   to lose
perdu   lost
le père   father de père en fils   from father
  to son
le perfectionnement   improvement
la performance   performance
performant   successful
la période   period
†permettre (pp permis)   to allow; to enable
la permission   permission
persister   to persist persistant   persistent
la personnalité   personality
personne   anyone, no-one
la personne   person les personnes   people
le personnel   staff
personnel (f personnelle)   personal
personnellement   personally
la pétanque   type of bowls played particularly
  in the South of France
petit   small, little les petits   little ones,
  young
les petits-enfants (mpl)   grandchildren
peu   little peu de   few, not many à peu
  près   nearly, almost
un peu   a little, a bit
peur: faire peur   to frighten
peut-être   perhaps, maybe

la pharmacie   *chemist's*

le/la pharmacien(ne)   *chemist, pharmacist*

phonétique   *phonetic*

la photo   *photo*

la phrase   *sentence, phrase*

phys = physiquement: bien
   physiquement   *good-looking*

la pièce   *part; room; coin*   la pièce de
   théâtre   *play*

la pincée   *pinch*

le pique-nique   *picnic*

piquer   *to sting*

la piscine   *swimming pool*

la piste   *trail, route*

la pizza   *pizza*

la pizzéria   *pizzeria*

la place   *square; place, position; room, space*
   sur place   *on the spot, locally, on the
   premises*   à la place   *instead*

placer   *to place*

la plage   *beach*

la plaie   *wound, cut*

*†se plaindre (*pp* plaint)   *to complain; to protest*
   †plaire (*pp* plu)   *to please* ... me plaît
   I like ... s'il te/vous plaît   *please*
   *se plaire   *to like it, enjoy oneself*

la plaisanterie   *joke*

le plaisir   *pleasure*

le plan d'eau   *stretch of water, lake*

la planche à voile   *windsurfing*

la plante   *plant*

planté de   *planted with*

la plaque   *plaque, badge*

plat: à plat dos   *flat on one's back*

le plat   *dish*

le plateau   *plateau*

plein   *full*   plein air   *open air*   en pleine
   campagne   *in the heart of the
   countryside*   en plein milieu   *right in the
   middle*   plein de   *lots of*

†pleuvoir (*pp* plu)   *to rain*

plier   *to bend*

la pluie   *rain*

la plupart   *most, the majority*   pour la
   plupart   *mostly, for the most part*

plus   *more; plus*   de plus   *more*   plus
   de   *more than, over*   plus que   *more
   than, rather than*   en plus   *in addition,
   besides*   de plus en plus   *more and
   more*   (ne) ... plus   *not ... (any) more*
   non plus   *either*   le/la plus   *the most*
   le plus ... possible   *as ... as possible*

plusieurs   *several, a number of*

plutôt   *rather, more*   plutôt que   *rather than*

pluvieux (*f* pluvieuse)   *rainy*

la poêle   *frying pan*

le poêle   *stove, cooker*

le poète   *poet*

le point   *point; spot, speck*   jusqu'à un
   certain point   *up to a point*   à tel point
   que   *to the point where*   le point de vue
   point of view

la pointe   *point*   de pointe   *leading*

le poireau (*pl* poireaux)   *leek*

le poisson   *fish*

la poitrine   *chest*

le poivre   *pepper*

poivrer   *to (add) pepper*

le poivron   *(green/red) pepper*

la police   *police*

le policier   *policeman, police officer*

politique   *political*

le pollen   *pollen*

pollué   *polluted*

la pollution   *pollution*

la pommade   *cream, ointment*

la pomme   *apple*

la pomme de terre   *potato*

le pompier   *firefighter, fireman*

la pop (musique)   *pop (music)*

populaire   *popular*

la population   *population*

le port   *port*

la porte   *door; gateway*
   porter   *to wear*   *se porter   *to feel*   *se
   porter volontaire   *to come forward,
   volunteer*

poser   *to place; to pose*   poser une
   question   *to ask a question*

positif (*f* positive)   *positive*

la position   *position*

posséder   *to have*

la possibilité   *possibility, chance*

possible   *possible*

postal·   la carte postale   *postcard*

le poste   *post, job*

poster   *to post*

potable   *drinkable, for drinking*

potager: le jardin potager   *vegetable
   garden*

le poulet   *chicken*

pour   *for; to*   pour que   *so that, in order
   that*

pourquoi   *why*

pourtant   *yet, nevertheless, however*

la poussée   *attack*

pousser   *to grow*

†pouvoir (*pp* pu)   *to be able*

le pouvoir   *power*

pratique   *practical*   pratiquement
   practically; almost

la pratique   *practice*

pratiquer   *to practise, do; to put into
   practice*

précédent   *previous*

précisément   *exactly, precisely*

précuit   *pre-cooked*

de préférence   *preferably*

préférer   *to prefer*   préféré   *favourite*

premier (*f* première)   *first*

†prendre (*pp* pris)   *to take; to get; to have;
   to catch*   *s'y prendre   *to set about
   (doing) something*

la préparation   *preparation*

préparer   *to prepare*   *se préparer   *to
   get ready*

près (de)   *close (to), near*   de près
   closely
†prescrire (*pp* prescrit)   *to prescribe*
la présence   *presence*
présent: jusqu'à présent   *until now*
présenter   *to present; to introduce*   ✱se
   présenter   *to go in for something; to
   arise, present itself*
préserver   *to preserve*
le président   *president*   le président
   directeur général (le PDG)   *chairman
   and managing director*
presque   *almost*
pressentir: laisser pressentir   *to hint at*
prêt   *ready; ready-to-use*
prétendre   *to claim*
prêter   *to lend*   ✱se prêter à   *to lend
   one/itself to*
†prévoir (*pp* prévu)   *to plan; to provide; to
   make provision for*
prier   *to request*
primaire   *primary*
le prince   *prince*
principal   *main, principal*
   principalement   *principally, mainly*
le principe   *principle*
prise: la prise de la Bastille   *storming of the
   Bastille*
privé   *deprived*
privilégié   *privileged*
le prix   *price*
le problème   *problem*
procéder   *to proceed*
prochain   *next*
proche (de)   *close (to)*
†produire (*pp* produit)   *to produce*   ✱se
   produire   *to happen, take place*
le produit   *product*
le/la professeur (*colloq* prof)   *teacher*
professionnel (*f* professionnelle)
   professional
le profil   *profile, qualifications*
profiter   *to take advantage*
profond   *deep*
le programme   *programme*
le progrès   *progress*
le projet   *plan*
projeter   *to plan*
prolonger   *to extend, continue*
la promenade   *excursion, outing*
promener, ✱se promener   *to go for a walk;
   to get out and about*   ✱se promener en
   voiture   *to drive around*
†promettre (*pp* promis)   *to promise*
la promotion   *promotion*
prononcer   *to pronounce; to utter*
la prononciation   *pronunciation*
à propos de   *on the subject of*
proposer   *to offer*
propre   *clean*
propre   *own*
le/la propriétaire   *owner*
la propriété   *property*

prospérer   *to prosper*
protéger   *to protect*
prouver   *to prove*
provençal   *Provençal, of Provence*
   le provençal   *Provençal (language)*
   les Provençaux   *Provençal (people)*
provoquer   *to cause*
public (*f* publique)   *public*
la publicité   *publicity*
la puce   *flea*
puis   *then*
puisque   *since, as, seeing that*
la purée   *purée*
les Pyrénées (*fpl*)   *Pyrenees*

Q

le quai   *bank, embankment; platform*
qualitatif (*f* qualitative)   *qualitative*
la qualité   *quality*
quand   *when*
quant à   *as for*
quantitatif (*f* quantitative)   *quantitative*
une quarantaine   *about forty, forty-ish*
le quart   *quarter*
le quartier   *quarter, district, area*
quasiment   *almost, nearly*
quatre   *four*
quatrième   *fourth*
le quatuor   *quartet*
que   *that, which; whom; than; what*
   qu'est-ce que …?   *what …?*
quel (*f* quelle)   *what; which*
quelque   *some*   quelques   *a few, some*
quelque chose   *something; anything*
quelquefois   *sometimes*
quelqu'un   *someone*   quelques-un(e)s
   some
la question   *question; matter*
qui   *who; which, that; whom*
quinze   *fifteen*
quitter   *to leave*
quoi   *what*

R

raccrocher   *to hang up*
la racine   *root; base (of nose)*
raconter   *to tell, relate*
la radio-électricité   *radioelectricity*
le raisin sec   *raisin*
la raison   *reason*   avoir raison   *to be right*
   donner raison à   *to prove someone
   right*   la raison d'être   *raison d'être*
raisonnablement   *reasonably, a reasonable
   amount*
rajouter   *to add*

la randonnée (pédestre) *walk, ramble*
rappeler *to call back* ✶se rappeler *to remember*
le rapport *connection* par rapport à *in relation to*
rapporter *to take back* ✶se rapporter *to be related*
rapprocher *to bring together*
rare *rare* rarement *rarely*
ras: au ras du sol *close to the ground*
✶se rassembler *to assemble*
ravi *delighted*
la réaction *reaction*
réagir *to react*
le réalisateur *producer*
réaliser *to build*
la réalité *reality*
✶se recaser *to set up house again, settle down again*
récent *recent*
la recette *recipe*
†recevoir (*pp* reçu) *to receive, get*
à la recherche de *in search of, looking for*
rechercher *to require*
la réclamation *complaint*
réclamer *to demand, ask for*
la récolte *harvest, crop*
récolter *to harvest*
recommander *to recommend*
recommencer *to begin again, repeat*
†reconnaître (*pp* reconnu) *to recognise; to admit*
rectifier *to adjust*
redonner *to give again*
réduit *reduced*
réel (f réelle) *real, real-life*
†refaire (*pp* refait) *to remake, rebuild; to do again* refaire (un numéro) *to redial*
la réflexion *thought*
✶se réfugier *to take refuge*
refuser *to refuse*
✶se régaler *to have a good meal, eat well*
regarder *to look (at), watch*
le régime (alimentaire) *diet*
la région *region, area*
régional *regional*
la réglementation *regulations*
réglementer *to regulate, control*
regretter *to regret, be sorry*
régulièrement *regularly*
la reine *queen*
✶se réinstaller *to settle down again*
†rejoindre (*pp* rejoint) *to get to; to return to; to join; to agree with*
relations: avoir de bonnes relations *to be on good terms*
relativement *relatively*
la relaxation *relaxation*
la religion *religion*
✶se remarier *to remarry*
remarquer *to notice* remarque *mind you, mark you* faire remarquer *to point out*
remercier *to thank*

remonter *to push (back) up*
remplacé *replaced*
en remplacement de *instead of, as a replacement for*
remplir *to fill (up)*
remporter *to achieve*
la rencontre *meeting*
rencontrer *to meet* ✶se rencontrer *to meet, get together*
le rendez-vous *appointment*
rendre *to make* rendre des comptes à *to be accountable to* rendre service *to do a good turn, favour* rendre visite à *to visit, call on*
les renseignements (*mpl*) *information; information office*
renseigner *to inform, give information* ✶se renseigner *to ask for information*
la rentrée *return; start of term/school year*
✶rentrer *to return, go back; to get/fit in*
renverser *to spill*
répandu *widespread*
le repas *meal*
repérer *to spot*
répéter *to repeat*
replier *to tuck up*
répliquer *to reply*
répondre *to answer, reply*
la réponse *reply*
le repos *rest*
✶se reposer *to rest*
✶reprendre (*pp* repris) *to restart, resume; to have a second helping of*
reprise: à (cinq) reprises *(five) times*
la république *republic*
la réservation *reservation, booking*
la réserve *reserve*
réserver *to reserve, book*
respecter *to respect*
respiratoire *respiratory*
responsable *responsible*
ressembler à *to resemble, look like*
le ressourcement *revitalisation, regeneration*
le restaurant *restaurant*
le restaurateur *restaurant owner*
le reste *rest* les restes *leftovers*
✶rester *to remain, stay*
le resto (*colloq*) = le restaurant
la restriction *restriction*
résumer *to summarise*
†retenir (*pp* retenu) *to remember*
retentir *to ring, sound*
le retour *return* de retour *back*
retourner *to turn upside down*
✶retourner *to go back*
✶se rétracter *to shrink*
la retraite *retirement* à la retraite *retired* prendre sa retraite *to retire*
retrouver *to find (again); to rejoin* ✶se retrouver *to meet*
la réunion *meeting*
✶se réunir *to get together; to meet*
réuni(e)s *gathered together*

réussir *to make a success of*
la réussite *success*
le rêve *dream*
réveiller *to wake up*
le réveillon *Christmas/New Year's Eve*
la révélation *revelation*
✱†revenir *(pp revenu) to come back* faire
    revenir *to bring back; to brown*
rêver *to dream*
†revivre *(pp revécu) to live (again)*
au revoir *goodbye*
la révolution *revolution*
les rhumatismes *(mpl) rheumatism*
le rhume *cold* le rhume des foins *hay*
    fever
riche *rich*
rien *nothing* rien d'autre *nothing*
    else rien que *just, nothing but*
rincer *to rinse*
†rire *(pp ri) to laugh*
le rire *laugh, laughter*
risquer *to be likely to*
la rive *bank*
le rock *rock (music)*
le rôle *role*
romain *Roman*
roman *romanesque*
la rose *rose*
rosé *rosé*
rouge *red*
la route *road; route, way*
en ruines *(fpl) in ruins*
la rumeur *rumour*

S

le sac de couchage *sleeping-bag*
le sacrifice *sacrifice*
le saignement *bleeding*
saigner *to bleed*
sain *healthy* sainement *healthily*
saisonnier *(f saisonnière) seasonal*
la salade *salad*
saler *to salt, add salt* salé *salty*
la salle *room* la salle à manger *dining*
    room la salle de séjour *sitting room*
samedi *Saturday*
sans *without*
la santé *health*
la sauce *sauce; (salad) dressing*
sauf *except*
le saumon *salmon*
saupoudrer *to sprinkle*
†savoir *(pp su) to know; to know how to;*
    to realise
le savon de Marseille *household soap*
savoureux *(f savoureuse) full of flavour,*
    tasty
le saxophone *saxophone*
la scène *stage*

scolaire *school*
se *oneself; each other*
la séance *session*
sec *(f sèche) dry*
séché *dried*
second *second*
le secourisme *first-aid*
le/la secouriste *first-aid worker, first-aider*
secret *(f secrète) secret*
la secrétaire *secretary* la secrétaire de
    direction *executive secretary*
la section *section*
séculaire *secular*
séduisant *attractive*
le séjour *sitting room*
le sel *salt*
sélectionner *to select*
le self-service *self-service restaurant*
selon *according to*
la semaine *week*
semblable à *similar to, like*
sembler *to seem*
sensas *(colloq) =* sensationnel
    (f sensationnelle) *fantastic*
sensible *sensitive*
le sentiment *feeling*
sentimental *sentimental*
†sentir *to feel* ✱se sentir *to feel*
sept *seven*
septembre *September*
la sérénité *serenity*
sérieux *(f sérieuse) serious*
la serveuse *waitress*
le service *service; department, section*
    rendre service *to do a good turn, favour*
servile *servile, inferior*
†servir *to serve; to be used* ✱se servir *to*
    serve oneself se servir de *to make use*
    of, use
le sésame *sesame*
seul *alone; single; only* seulement *only*
sévère *harsh, strict*
Séville *Seville*
si *if*
si *yes (on the contrary); so*
le siècle *century*
le sien, la sienne *his/hers*
le signe *sign; omen*
signé *signed*
significatif *(f significative) meaningful*
signifier *to signify, mean*
simple *simple* simplement *simply*
la simplicité *simplicity, lack of affectation*
la sincérité *sincerity*
la sirène *siren*
le site *site, spot*
la situation *situation; position, job*
✱se situer *to be (situated)* situé *situated*
six *six*
le ski *skiing* faire du ski *to go skiing*
skier *to ski*
le slogan *slogan*
le slow *slow number*

la SNCF = Société Nationale des Chemins de
    fer Français *French Railways*
  social (*pl* sociaux) *social*
la société *society; company, firm*
la sœur *sister*
  soi *one* soi-même *oneself*
  soigner *to treat; to look after, nurse*
  soin: les premiers soins *first aid*
le soir *evening*
la soirée *evening; party*
le sol *ground*
  solaire *solar*
le soleil *sun*
la solidarité *solidarity*
la solution *solution*
la sommation *warning*
  son, sa (*pl* ses) *his/her/its*
  sonner *to ring*
la sorcière *witch*
la sorte *sort, kind* en quelque sorte *in
  some way*
la sortie *coming out, leaving; excursion*
†sortir *to take out* *sortir *to go out*
    *sortir de *to leave*
le souci *worry*
  soudain *suddenly*
  souffler *to breathe out*
†souffrir (*pp* souffert) *to suffer*
  souhaiter *to wish (for)*
la soupe *soup*
  souple *flexible*
la source *spring*
  sourd *deaf*
le sourire *smile*
  sous *under, beneath* sous-payé
  underpaid
†soutenir (*pp* soutenu) *to support*
  souvent *often*
les spaghettis *(mpl)* à la bolognaise *spaghetti
  bolognese*
  spécial *special* spécialement *specially*
  spécialisé *specialised*
la spécialité *speciality*
le spécimen *specimen*
le spectacle *show, entertainment;
  showbusiness*
le spectateur *spectator*
le sport *sport*
  sportif (*f* sportive) *sports, sporty*
le stage *(training) course*
le/la stagiaire *trainee*
  standard *standard*
le standard *switchboard*
la station *resort* la station de ski *ski
  resort* la station thermale *spa*
  stationné *parked*
les statistiques (*fpl*) *statistics*
le steak-frites *steak and chips*
  stocker *to stockpile*
le stress *stress*
  stressant *stressful*
  strict *strict*
le studio *studio apartment*

le style *style*
le stylo *pen*
  subir *to undergo*
  subtilement *subtly*
le succès *success*
  successivement *successively, in a row*
le sud *south*
†suffire (*pp* suffi) *to be enough* ça
  suffit *that's enough*
  suffisant *sufficient, enough*
*se suicider *to commit suicide*
†suivre (*pp* suivi) *to follow* suivant
  following suivi de *followed by*
le sujet *subject*
  superbe *superb, great*
la superficie *(surface) area*
  superficiel (*f* superficielle) *superficial*
  supérieur *superior; greater; higher; senior*
le supermarché *supermarket*
  superviser *to supervise*
  supporter *to bear, stand*
  sur *on; towards; about; out of*
  sûr *sure, certain* bien sûr *of course*
la surface *surface* la grande surface
  supermarket, hypermarket
  surgelé *deep-frozen*
  surplomber *to overhang*
la surprise *surprise*
  surtout *especially, above all*
  surveiller (de près) *to watch (closely)*
  sympathique (*colloq* sympa) *nice, friendly*
le syndicat d'initiative *tourist (information)
  office*
le système *system*

T

le tabac *tobacco; tobacconist's*
la table *table*
le tableau (*pl* tableaux) *picture; (notice)
  board*
la tâche *task*
le talent *talent*
le tamaris *tamarisk*
  tandis que *while, whereas*
  tant de *so many*
  taper *to knock; (colloq) to cadge, touch
  somebody for*
  tard *late*
le tas *heap, lot*
la tasse *cup*
le taxi *taxi*
  te *(to/for) you*
  technique *technical*
la technique *technique*
  tel (*f* telle) *such* tellement *so; so much,
  (such) a lot, that much*
la télépathie *telepathy*
le téléphérique *cable car*
le téléphone *telephone; telephone number*
  téléphoner *to telephone*

téléphonique *telephone*

la télévision *television*

les Templiers *(mpl) Templars, Knights Templar* templier *(f* templière*) of the Templars*

le temps *time* combien de temps *how long* à temps partiel *part-time* à mi-temps *half-time* entre-temps *meanwhile* de notre temps *in our day* de temps en temps *from time to time*

le temps *weather*

la tendance *tendency*

tendre *tender* depuis sa plus tendre enfance *from his/her earliest childhood*

la tendresse *tenderness*

tendu *stretched (out)*

†tenir *(pp* tenu*) to hold; to have* tiens! *well!* *se tenir *to keep, stay*

le tennis *tennis*

tenter *to tempt; to try*

le terme *term* terminer *to end* *se terminer *to end*

le terrain *ground, land* le terrain de camping *campsite*

la terre *earth; land*

le test *test*

la tétine *teat*

le tétras *grouse*

le texte *text*

le textile *textile/fabric department*

le thé *tea*

le théâtre *theatre*

thermal *(pl* thermaux*) thermal*

le thorax *thorax, chest*

le tiers *third*

le tilleul *lime tea*

le tir à l'arc *archery* tirer *to pull; to fire*

la tisane *tisane, infusion*

le toboggan *slide; water-chute*

toi *you*

le toit *roof*

*tomber *to fall (down)* *tomber en panne *to have a breakdown* ton, ta *(pl* tes*) your*

la tonne *metric ton*

tordre *to twist, sprain*

tôt *early; soon*

totalement *totally, completely*

toucher *to touch; to receive, get*

toujours *always*

la tour *tower*

le tour *tour; turn* faire le tour de *to go round*

le/la touriste *tourist*

touristique *full of tourists, touristy*

tout *everything; anything* tout ce qui/que *everything (that), all that* tout est bien qui finit bien *all's well that ends well*

le tout *the whole lot* pas du tout *not at all* (ne) plus du tout *not any more*

tout *(f* toute*) all (of); whole (of); any* tous *(f* toutes*) all, every* tous les deux *both*

tout *quite; all, completely; very* tout en + *present participle* *while* tout à fait *quite, absolutely* tout de suite *straightaway* tout de même *all the same*

la toxicité *toxicity*

la tradition *tradition*

traditionnel *(f* traditionnelle*) traditional*

†traduire *(pp* traduit*) to translate*

le train *train*

en train de *in the process of*

le traitement *treatment*

le trajet *journey; drive*

tranquille *quiet, undisturbed*

la tranquillité *peace and quiet*

transformer *to transform, change*

transmis *transmitted*

transplanté *transplanted*

le travail *(pl* travaux*) work; job*

travailler *to work*

le travailleur *worker*

traverser *to cross*

treize *thirteen*

très *very*

tri: faire le tri *to sort out*

trier *to sort out*

trois *three*

troisième *third*

*se tromper *to be mistaken*

trompeur *(f* trompeuse*) deceptive, misleading*

trop *too; too much* par trop *too much*

trouver *to find; to think* *se trouver *to be (found); to find oneself* il se trouve que *it's a fact that, it turns out that*

la truite *trout*

tu *you*

le tube *(colloq) hit*

tuer *to kill*

la tuile *tile*

la Tunisie *Tunisia*

turlupiner *to bother*

le type *type; (colloq) bloke, guy*

typique *typical* typiquement *typically*

U

un, une *a; one* l'un (à) l'autre *(to) each other* les uns ... les autres *some ... others*

en union libre *living together, cohabiting*

unique *unique* uniquement *only*

d'urgence *urgently, (in) emergency*

l'usine *(f) factory*

utile *useful, of use; necessary*

utiliser *to use*

V

les vacances *(fpl)* *holidays* en vacances *on holiday* les grandes vacances *summer holidays*
le vacancier *holiday-maker*
le vaccin *vaccine*
la vague *wave*
en vain *in vain*
la vaisselle *washing-up*
valable *valid*
lès valeurs *(fpl)* morales *moral values*
la valise *suitcase*
la vallée *valley*
†valoir *(pp* valu): il vaut mieux *it is better*
varié *varied*
vaste *vast, huge*
le veau *veal*
la veille *day before*
le vélo *bike*
le vendeur, la vendeuse *shop/sales assistant*
vendredi *Friday*
✳†venir *(pp* venu) *to come* à venir *to come, ahead* venir de + *infinitive to have just*
vent: dans le vent *(colloq)* *with it, trendy*
de vente *(of) sales*
le ventre *abdomen, stomach*
la verdure *greenery*
le verger *orchard*
véritable *real*
en vérité *to tell the truth, to be honest*
le verre *glass*
vers *towards; about, approximately*
vert *green*
les vêtements *(mpl)* *clothes*
la viande *meat*
la vie *life*
vieux *(f* vieille) *old* mon vieux *old chap, old friend*
le vignoble *vineyard*
la vigueur *vigour, robustness*
le village *village*
la ville *town, city*
le vin *wine* le vin de pays *local wine* le vin de table *table wine*
une vingtaine *about twenty*
violent *violent*
le violet *purple*
violet *(f* violette) *purple*
le virage *bend*
viril *virile*
le visage *face*
la visite *visit*
visiter *to visit* 'se visite' *'open to visitors'*
visser *to screw (down)*
visualiser *to visualise*
vite *fast, quickly*
le viticulteur *winegrower*
la vitrine *(shop) window*
†vivre *(pp* vécu) *to live* vivant *living*

le vocabulaire *vocabulary*
la vocation *vocation*
voici *here is/are; this is; it is*
les voies *(fpl)* respiratoires *respiratory tracts*
voilà *here/there (is/are); it/that is; exactly, right, just so* voilà pourquoi *that's why*
la voile *sail; sailing*
†voir *(pp* vu) *to see* n'avoir rien à voir avec *to have nothing to do with*
le/la voisin(e) *neighbour*
la voiture *car*
le voleur *thief*
volontaire: ✳se porter volontaire *to volunteer*
volontiers *willingly*
votre *(pl* vos) *your*
†vouloir *(pp* voulu) *to want* bien vouloir *to be kind enough to* vouloir dire *to mean*
vous *(to/for) you* vous-même *yourself*
le voyage *journey*
voyager *to travel*
le voyageur *traveller*
vrai *true; real* vraiment *really*
vu: bien vu *well thought of*
la vue *sight; view* en vue de *with a view to* le point de vue *point of view*

W

les WC *(mpl)* *toilet*
le week-end *weekend*

Y

y *there; it* il y a, y a *there is/are* il y a ... ... *ago*
le yaourt *yoghurt*
le yoga *yoga*

Z

la zone *area, zone*
le zoo *zoo*

Acknowledgement for photographs is due to:

Myrna Abadjian page 133; Michel Giannoulatos, Camera Press (L'Express), London page 130; Daniel Pageon pages 8, 11, 26, 27, 31, 32, 42, 44, 58, 60, 74, 86, 88, 100, 102, 118, 127, 129, 140; C. Poulin pages 46, 114; Marie Arlette Reid page 144; Danielle Wargny pages 12, 13, 30, 72, 75, 80, 89, 98, 103, 113, 116, 117, 146; Mick Webb page 131.

Front cover of Le P'tit Normand 9th Edition 1986/87 Le Guide De Rouen, featured on page 70, reproduced by kind permission of Les Editions Du P'tit Normand, 4 Rue De L'École 76000 Rouen.

Text illustrations by David Mostyn.

Maps by David Worth.